CÓMO PASÉ DE SER UN FRACASO EN LAS VENTAS A SER UN VENDEDOR ESTELAR

Frank Bettger

TALLER DEL ÉXITO

Contenido

Dale Carnegie:
¿Qué opino acerca de este libro?

Conozco al autor de este libro, Frank Bettger, desde 1917. Él debió tomar la vía difícil, tuvo poca educación formal, nunca recibió un título de posgrado y, sin embargo, surgió. Su vida es una sobresaliente historia de éxito estadounidense.

Su padre murió cuando él era un niño dejando a su madre con cinco hijos pequeños. A la edad de once años, tenía que levantarse a las cuatro y media de la mañana para vender periódicos en las esquinas de las calles y así ayudar a su madre viuda, quien trabajaba lavando y cosiendo para poder alimentar a su familia. El señor Bettger me dijo que muchas veces, a la hora de la cena, no tenían más que masa de harina de maíz con leche desnatada.

A los catorce años, tuvo que abandonar la escuela y empezó a trabajar como ayudante de instalación de tuberías. A los dieciocho años, pasó a ser jugador de béisbol profesional y jugó durante dos años en la posición de tercera base de los Cardenales de San Luis. Luego, un día, en medio de un juego contra los Cachorros de Chicago, en Chicago, Illinois, se lesionó el brazo y se vio obligado a abandonar el béisbol.

Regresó a Filadelfia, su ciudad natal, y cuando lo conocí a sus veintinueve años de edad, trabajaba tratando de vender seguros de vida, pero era todo un fracaso como vendedor.

Sin embargo, durante los siguientes doce años, ganó suficiente dinero como para comprar una propiedad de setenta mil dólares y se habría podido jubilar a los cuarenta. Lo sé. Yo lo presencié. Lo vi surgir desde el fracaso total hasta ser uno de los vendedores más exitosos y mejor pagados en los Estados Unidos. De hecho, hace unos años, lo animé a que se asociara conmigo para contar su historia en una serie de seminarios de una semana que yo estaba dando bajo el auspicio de la Cámara júnior de comercio de los Estados Unidos sobre "capacitación de liderazgo, relaciones humanas y ventas".

Frank Bettger se ha ganado el derecho de hablar y escribir sobre este tema porque ha hecho casi cuarenta mil ventas por teléfono, el equivalente a cinco llamadas diarias durante más de veinticinco años.

En mi opinión, el primer capítulo titulado "Cómo una idea multiplicó mis ingresos y mi felicidad" es el discurso más inspirador que jamás haya escuchado en cuanto al poder del entusiasmo. El entusiasmo sacó a Frank Bettger de las filas del fracaso y lo ayudó a convertirse en uno de los vendedores mejor pagados de la nación.

Vi lo difícil que fue para Frank Bettger dar su primera charla en público y lo he visto deleitar e inspirar a grandes audiencias desde Portland, Oregon, hasta Miami, Florida. Después de ver el asombroso efecto que tenía sobre los demás, lo animé a que escribiera un libro que relatara sus experiencias, técnicas y filosofías de venta, tal como las exponía ante miles de personas de todo el país desde el escenario.

Y aquí está. El libro sobre ventas más útil e inspirador que jamás haya leído y que, aún mucho después de que Frank Bettger haya partido, seguirá ayudando a vendedores, independientemente de que vendan seguros, zapatos, embarcaciones o cera para sellar.

He leído todas y cada una de las páginas de este libro. Lo recomiendo con entusiasmo. Cuando comencé a trabajar como vendedor, con gusto habría caminado desde Chicago hasta New York para obtener una copia de este libro si hubiera estado disponible.

Frank Bettger:
¿Cómo terminé
escribiendo este libro?

Un día, en Nueva York, por casualidad, subí al mismo tren con Dale Carnegie. Dale se dirigía a Memphis, Tennessee, para dar unas conferencias.

Él me dijo: "Frank, he estado dando una serie de seminarios de una semana patrocinados por la Cámara júnior de comercio de los Estados Unidos, ¿por qué no vienes conmigo y das unas conferencias sobre ventas?".

Yo pensé que estaba bromeando. Y le dije: "Dale, tú sabes que yo no terminé la escuela. No podría dar conferencias sobre ventas".

Dale dijo: "solo habla de cómo surgiste del fracaso al éxito en las ventas. Solo habla de lo que hiciste".

Lo consideré y dije: "bueno, supongo que puedo hacer eso".

Poco tiempo después, Dale y yo estábamos dando conferencias por todo el país. Durante cinco noches consecutivas, hablamos por cuatro horas ante las mismas audiencias. Dale hablaba durante media hora, luego yo hablaba otra media hora.

Después, Dale me dijo: "Frank, ¿por qué no escribes un libro? Muchos de los libros sobre ventas los escriben personas que nunca han vendido nada. ¿Por qué no escribir un nuevo tipo de libro sobre ventas? Un libro que hable precisamente de lo que hiciste, un libro que diga cómo surgiste del fracaso al éxito en las ventas. Cuenta la historia de tu propia vida. Pon la palabra 'yo' en cada frase. No sermonees. Cuenta la historia de tu propia vida como vendedor".

Cuanto más pensaba al respecto, más creía que sonaría egoísta.

"No quiero hacerlo", le dije.

Pero Dale pasó toda una tarde conmigo rogándome que contara mi propia historia, así como lo había hecho desde el escenario de conferencias.

Dale dijo: "en todas las ciudades donde habíamos presentado nuestras conferencias, los chicos de la Cámara júnior de comercio preguntaban si Frank Bettger iba a plasmar sus conferencias en un libro. Es probable que hayas pensado que aquel joven de Salt Lake City estaba bromeando cuando entregó $40 dólares por adelantado para comprar la primera copia del mismo, pero estaba hablando en serio. Para él valía mucho más de $40 dólares".

Así que no pasó mucho tiempo cuando ya estaba escribiendo un libro.

En estas páginas, he procurado contar la historia de mis equivocaciones y tontos errores, y qué hice exactamente para salir de las filas del fracaso y de la desesperación. Cuando comencé a trabajar en ventas, ya tenía dos *strikes* en mi contra. Tenía la misma experiencia en ventas que una liebre. Al parecer, mis ocho años como beisbolista no me servían para nada, ni siquiera para algo tan remoto como las ventas.

Si Lloyds of London hubiera apostado respecto a mis posibilidades de triunfo, habría apostado mil dólares a uno asegurando que yo iba a fracasar. La confianza en mí mismo no era mayor que la que Lloyds habría tenido.

Espero que pases por alto y me disculpes por usar el pronombre personal "yo". Si en este libro hay algo que puede dar a entender que estoy presumiendo de mí mismo, esa no era mi intención. Cualquier jactancia de mi parte ha tenido la intención de mostrar lo que estas ideas han hecho a mi favor y lo que pueden lograr por cualquier persona que las aplique.

He procurado escribir el tipo de libro que traté de encontrar cuando empecé a trabajar como vendedor. Aquí lo tienes. Espero que sea de tu agrado.

PRIMERA PARTE

Estas ideas me sacaron de las filas del fracaso

1

Cómo una idea multiplicó mis ingresos y mi felicidad

Poco después de haber comenzado mi carrera como beisbolista profesional, recibí una de las sorpresas más grandes de mi vida. Fu en el año 1907. Estaba jugando con los Johnstown de Pennsylvania, en la Liga TriState. Era joven y ambicioso, quería llegar a la cima, ¿y qué sucedió? ¡Me despidieron! Toda mi vida habría sido diferente si no hubiera buscado al gerente para preguntarle por qué me estaba despidiendo. De hecho, no habría tenido el extraño privilegio de escribir este libro si no hubiera hecho esa pregunta.

¡El gerente dijo que me estaba despidiendo porque yo era perezoso! Bueno, eso era lo último que esperaba oír de su parte.

"Te arrastras por el campo de juego como si fueras un veterano que lleva veinte años jugando a la pelota", dijo. "¿Por qué te comportas de esa manera si no eres perezoso?".

"Bueno, Bert", dije, "estoy tan nervioso y tan asustado que no quiero que el público, y sobre todo que los otros jugadores, lo noten. Además, si tomo las cosas con calma, espero poder deshacerme de mi nerviosismo".

"Frank", dijo él, "eso nunca va a funcionar. Eso es precisamente lo que te está obstruyendo. Por amor de Dios, hagas lo que hagas después de salir de aquí, ¡despiértate y dale algo de vida y entusiasmo a tu trabajo!".

En Johnstown estaba ganando $175 dólares al mes. Después de ser despedido, fui a Chester, Pennsylvania, a jugar en la Liga del Atlántico, donde mi salario era de solo $25 dólares mensuales. Bueno, con esa cantidad de dinero no podía sentirme muy entusiasmado, pero empecé a mostrar entusiasmo. Tres días después, un beisbolista veterano, Danny Meehan, se me acercó y dijo: "Frank, ¿qué rayos estás haciendo aquí abajo, en una liga baja categoría como esta?".

"Bueno Danny", respondí, "si supiera cómo obtener un mejor trabajo, iría a cualquier parte".

Una semana después, Danny animó a New Heaven, Connecticut, para que me hiciera una prueba. Mi primer día con New Haven siempre estará en mi memoria como un gran acontecimiento en mi vida. No me conocían en esa liga, así que me propuse a que nunca nadie me volvería a acusar de ser perezoso. Decidí crearme la reputación de ser el jugador de pelota más entusiasta que jamás hubieran visto en la Liga de Nueva Inglaterra.

Pensaba que si podía crear esa reputación, entonces tendría que vivir conforme a ella.

Desde el momento que salía al campo de juego, actuaba como si estuviera electrizado. Me comportaba como si un millón de baterías me impulsaran. Lanzaba la bola con tanta rapidez y fuerza que casi desbarataba las manos de mis compañeros de equipo que jugaban en la parte interna. En una ocasión, estaba casi atrapado y me deslicé hacia la tercera base con tanta energía y fuerza que el jugador de tercera base soltó la pelota y pude anotar una carrera importante. Sí, estaba montando todo un espectáculo, era una actuación. Ese día el termómetro estaba a casi 100°F. No habría sido ninguna sorpresa si me hubiera desmayado por la insolación, por la forma como corrí por todo el campo.

¿Pero funcionó? Sí, funcionó como magia. Tres cosas sucedieron.

1. Mi entusiasmo casi que superó por completo mi miedo. De hecho, mi nerviosismo comenzó a obrar a mi favor y estaba jugando mejor de lo que jamás pensé que podía jugar (si te sientes nervioso, agradécelo. No lo ocultes. Aprovéchalo. Deja que tus nervios obren a tu favor).

2. Mi entusiasmo contagió a los otros jugadores del equipo y ellos también se entusiasmaron.

3. En lugar de decaer con el calor, me sentí mejor que nunca durante y después del juego.

Mi mayor emoción llegó a la mañana siguiente, cuando leí en el periódico de New Haven: "Este nuevo jugador Bettger tiene un barril de entusiasmo. Inspiró a nuestros chicos. No solo ganaron el juego, sino que se vieron mejor que en cualquier otro momento de la temporada".

En los periódicos comenzaron a llamarme "Pep" (ánimo) Bettger, la vida del equipo. Le envié los recortes de periódico a Bert Conn, gerente de Johnstown. ¿Puedes imaginar la expresión de su rostro al leer acerca del "Pep" Bettger, el chico a quien tres semanas atrás había despedido por ser perezoso?

En un plazo de diez días, el entusiasmo me llevó de ganar $25 dólares al mes a ganar $185. Aumentó mis ingresos un setecientos por ciento. Permíteme repetirlo: ¡la sola determinación de actuar con entusiasmo me llevó a aumentar mis ingresos un setecientos por ciento en diez días! Obtuve este gran aumento de salario, no porque podía lanzar o atrapar mejor una pelota o porque podía batear mejor. No lo recibí porque tuviera una mejor habilidad como beisbolista. Mis conocimientos sobre béisbol seguían siendo los mismos.

Dos años después del momento en el que esperaba ganar $25 dólares al mes en ese pequeño uniforme de Chester, me encontraba jugando en la tercera base de los Cardenales de San Luis y mis ingresos se habían multiplicado treinta veces. ¿Cómo lo hice? Con entusiasmo, nada más que entusiasmo.

Pero dos años después, durante un juego en Chicago contra los Cachorros de Chicago, sufrí un grave accidente. Tras recoger una bola de toque mientras iba corriendo, traté de lanzarla en la dirección opuesta y algo se rompió en mi brazo. Ese accidente me obligó a abandonar mi carrera como beisbolista. En ese momento, esto pareció ser una gran tragedia para mí, pero ahora lo veo como uno de los acontecimientos más favorables de mi vida.

Volví a casa y, durante los siguientes dos años, me gané la vida montando en bicicleta por las calles de Filadelfia. Recolectaba pagos de cuotas por compras de muebles comprados a plazos, un dólar de cuota inicial y el resto en "incómodas cuotas semanales". Después de dos duros años recaudando pagos, decidí probar vendiendo seguros con la empresa de seguros de vida Fidelity Mutual.

Los siguientes diez meses fueron los más largos y desalentadoras de toda mi vida.

Era un fracaso completo vendiendo seguros de vida, así que finalmente llegué a la conclusión de que no había sido hecho para vender, y comencé a buscar empleo entre los anuncios clasificados para trabajar como empleado de fletes. Sin embargo, concluí que no importaba cuál fuera el trabajo que intentara hacer, tenía que superar un extraño complejo de miedo que me embargaba, así que decidí participar en uno de los cursos de Dale Carnegie sobre cómo hablar en público. Una noche, el señor Carnegie me detuvo en medio de una charla.

"Señor Bettger", dijo. "Espere un momento... solo un momento. ¿Está usted interesado en lo que está diciendo?".

"Sí... claro que lo estoy", respondí.

"Bueno", dijo el señor Carnegie, "entonces ¿por qué no habla con un poco de entusiasmo? ¿Cómo espera que su público se interese si usted no le pone algo de vida y ánimo a lo que dice?".

Luego, Dale Carnegie le dio a nuestra clase una impactante charla acerca del poder del entusiasmo. Se emocionó tanto durante su discurso, que lanzó una silla contra la pared y partió una de sus patas.

Esa noche, antes de acostarme, me quedé sentado durante una hora, pensando. Empecé a recordar mis días como beisbolista en Johnstown y New Haven. Por primera vez, comprendí que la misma falla que había amenazado con arruinar mi carrera en el béisbol estaba amenazando con arruinar mi carrera como vendedor.

La decisión que tomé esa noche fue el momento decisivo para mi vida. Decidí seguir en el negocio de seguros e imprimirle a las ventas el mismo entusiasmo que había puesto en el béisbol cuando entré a hacer parte del equipo de New Haven.

Nunca olvidaré la primera llamada que hice al día siguiente. Esa fue mi primera sesión de "avance". Decidí que le iba a mostrar a mi cliente potencial el vendedor más entusiasta

el entusiasmo es una base muy importante para un negocio.

que jamás hubiera visto en su vida. Conforme movía mi puño con entusiasmo, esperaba que el hombre me detuviera y me preguntara si algo andaba mal conmigo, pero no lo hizo.

En un punto de la entrevista, vi que asumió una posición más erguida y abrió más los ojos, pero nunca me detuvo, excepto para hacer preguntas. ¿Me echó? ¡No, me hizo una compra! Aquel hombre, Al Emmons, que era un comerciante de granos en Bourse Building, en Filadelfia, llegó a ser un gran amigo mío y uno de mis mayores apoyos.

Desde ese día en adelante, empecé a vender. La "magia del entusiasmo" comenzó a obrar a mi favor en los negocios, así como lo había hecho en el béisbol.

No quiero dar a entender que creo que el entusiasmo consiste en mover los brazos... pero si lo que necesitas para despertar en tu interior es un puño, entonces estoy muy de acuerdo con que así sea. Esto es lo que sé: cuando me obligo a actuar con entusiasmo, pronto me siento entusiasmado.

Durante mis treinta y dos años como vendedor, he visto cómo el entusiasmo ha duplicado y triplicado los ingresos de docenas de vendedores, y he visto cómo la falta del mismo hace que cientos de vendedores fracasen.

Creo firmemente que el entusiasmo es, por excelencia, el factor más importante para el éxito en las ventas. Por ejemplo, conozco a un hombre que es una autoridad en la industria de los seguros, él incluso podría escribir un libro sobre el tema, sin embargo, no puede ganarse una vida decente vendiendo seguros. ¿Por qué? En gran parte se debe a su falta de entusiasmo.

Conozco a otro vendedor que no conocía ni una décima parte acerca de esa industria, pero hizo una fortuna vendiendo pólizas de seguros y se jubiló después de veinte años. Su nombre es Stanley Gettis. Ahora vive en Miami Beach, Florida. Su gran éxito no se debió al conocimiento, sino al entusiasmo.

¿Se puede adquirir el entusiasmo o hay que nacer con él? ¡Sin duda se puede adquirir! Stanley Gettis lo adquirió. Llegó a ser un dínamo humano. ¿Cómo? Obligándose todos los días a actuar entusiasta. Como parte de su plan, Stanley Gettis repitió un poema casi todas las mañanas durante veinte años. Él vio que esto le ayudaba a generar entusiasmo para el día. Ese poema me pareció tan inspirador que lo mandé imprimir en tarjetas y regalé cientos de ellas. Fue escrito por Herbert Kauffman y tiene un buen título...

VICTORIA

Eres el hombre que solía jactarse
de que algún día alcanzaría lo supremo.
Solo deseabas un espectáculo
para demostrar cuánto sabes
y demostrar cuán lejos puedes llegar...
Acaba de terminar otro año.
¿Qué ideas nuevas tuviste?
¿Cuántas grandes cosas hiciste?
El tiempo... dejó a tu cuidado doce nuevos meses
¿Cuántos de ellos compartiste con oportunidad?
¿Te atreviste a intentarlo de nuevo en aquello en lo que fallaste tan a menudo?
No te encontramos en la lista de Benefactores.
¡Explica por qué!
Ah no, ¡no te hicieron falta oportunidades!
Como de costumbre, ¡fallaste en actuar!

¿Por qué no memorizas este poema y lo repites a diario? Puede hacer por ti lo que hizo por Stanley Gettis.

En una ocasión leí una frase de Walter P. Chrysler. Me impactó tanto que la llevé en mi bolsillo durante una semana. Podría decir que la leí más de cuarenta veces hasta que la memoricé. Quisiera que cada vendedor la memorizara. Cuando a Walter Chrysler le preguntaron acerca de su secreto para el éxito, enumeró diversas cualidades, como destreza, habilidad, energía, pero añadió que el verdadero secreto era entusiasmo. "Sí, más que entusiasmo", dijo Chrysler, "yo diría que emoción. Me gusta ver la emoción en los hombres. Cuando alguien se emociona, entusiasma a los clientes y así es como logramos hacer negocios".

El entusiasmo es, por excelencia, la cualidad mejor pagada en la Tierra, probablemente porque es una de las más escasas. Sin embargo, es una de las más contagiosas. Si eres entusiasta, es muy probable que quien te está escuchando también se entusiasme, aunque presentes mal tus ideas. Sin entusiasmo, tu presentación de ventas está tan muerta como el pavo del año pasado.

El entusiasmo no es simplemente una expresión externa. Cuando empieces a adquirirlo, el entusiasmo obrará constantemente en tu interior. Podrás estar sentado tranquilamente en tu casa cuando de repente venga una idea a tu mente y comience a desarrollarse hasta que, por último, el entusiasmo la absorba, y en este punto ya nada podrá detenerte.

También te ayudará a superar el miedo, tener más éxito en los negocios, ganar más dinero y disfrutar de una vida más saludable, rica y feliz.

¿Cuándo puedes empezar? Ahora mismo. Solo debes decirte a ti mismo: "esto es algo que puedo hacer".

¿Cómo puedes empezar? Solo hay una norma:

Para ser entusiasta, actúa con entusiasmo.

Pon en práctica este principio durante treinta días y prepárate para ver resultados asombrosos. Fácilmente puede revolucionar tu vida.

Ponte de pie cada mañana y, haciendo amplios gestos con todo el entusiasmo que puedas generar, repite estas palabras: ¡oblígate a actuar con entusiasmo y así llegarás a ser entusiasta!

Te insto a volver a leer muchas veces este capítulo de Frank Bettger y a tomar la más elevada y santa decisión de duplicar la cantidad de entusiasmo que has estado imprimiendo a tu trabajo y a tu vida. Si pones en práctica esa decisión, probablemente dupliques tus ingresos y tu felicidad. —Dale Carnegie

3 factores que hay poner en practica para este negocio es.
· Entusiasmo! · perder el medo
· y no ponerse nerioso
·

2

Esta idea me hizo volver a vender después de haber renunciado

Al recordar mis años pasados, me sorprende ver cómo todo el curso de mi vida ha cambiado a raíz de trivialidades.

Como ya lo dije, después de diez desalentadores meses de miseria tratando de vender seguros de vida, me di por vencido ante cualquier esperanza de poder vender algo. Renuncié y pasé varios días buscando empleo en los anuncios clasificados. Quería un trabajo como embarcador porque, cuando era un niño, había trabajado para la Compañía americana de radiadores martillando clavos en cajas y acomodándolas para su respectivo envío. Dado que tenía una educación limitada, pensaba que podía ser apto para ese tipo de trabajo. Pero aunque lo intenté, ni siquiera pude obtener un empleo como ese.

No solo estaba desanimado, sino que estaba desesperado. Concluí que tendría que volver a montar mi bicicleta y trabajar recolectando pagos para George Kelly's. Mi mayor expectativa era volver a mi antiguo trabajo y ganar $18 dólares a la semana.

Había dejado un estilógrafo, un cortaplumas y algunas otras cosas personales en la oficina de la compañía de seguros. Así que una mañana fui a buscarlos. Esperaba estar allí unos pocos minutos, pero mientras limpiaba mi escritorio, el presidente de la compañía, Walter LeMar Talbot, y todos los que integraban el equipo de ventas, entraron a la sala para tener una reunión. No podía salir sin avergonzarme, así que me quedé ahí sentado escuchando hablar a varios vendedores. Cuanto más hablaban, más me desanimaba. Hablaban de cosas que yo sabía que muy probablemente no podía hacer. Pero luego escuché al presidente, el señor Talbot, pronunciar una frase que ha tenido un efecto profundo y duradero en mi vida durante los últimos treinta y un años. Esa frase fue la siguiente:

Señores, después de todo, el negocio de las ventas se reduce a una cosa: solo una... ¡ver a las personas! ¡Muéstrenme a un hombre con capacidades comunes y corrientes, que esté dispuesto a salir y contar su historia con sinceridad a cuatro o cinco personas cada día, y yo les mostraré a alguien que no podrá evitar el éxito!

Eso me hizo levantar de inmediato. Yo creía en todo lo que el señor Talbot dijera. Él era un hombre que había empezado a trabajar para la empresa a la edad de once años, se había abierto camino pasando por todos los departamentos, de hecho había trabajado varios años vendiendo en las calles. Así que sabía de qué estaba hablando. Esto fue como si el sol de repente hubiera brillando a través de las nubes. Decidí creer literalmente en lo que decía.

Dije: "mira, Frank Bettger, tienes dos piernas buenas. Cada día puedes salir y contar fervientemente tu historia a cuatro o cinco personas, así que te va a ir bien, ¡el señor Talbot lo dijo!".

Estaba muy feliz. ¡Me invadió un gran alivio porque sabía que me iba a ir bien!

Esto sucedió solo diez semanas antes de que el año terminara. Para asegurarme de reunirme con al menos cuatro personas cada día, decidí que durante ese tiempo llevaría un registro de la cantidad de llamadas que hacía. Al llevar estos registros, descubrí que podía hacer muchas más llamadas. Pero también descubrí que el promedio de cuatro citas diarias, semana tras semana, era un trabajo duro. Esto me hizo ver que realmente había estado visitando a muy pocas personas.

Durante esas diez semanas, vendí $51.000 dólares en seguros de vida, ¡más de lo que había vendido durante los diez meses previos! No era mucho, pero comprobé que el señor Talbot sabía de qué estaba hablando. ¡Yo podía vender!

Luego comprendí que mi tiempo valía, y me propuse desperdiciar la menor cantidad de tiempo posible. Sin embargo, no vi necesario seguir con mis registros.

Sin embargo, a partir de ese momento, por alguna razón, mis ventas decayeron. Meses después, me encontré de nuevo en un bache tan profundo como en el que había estado antes. Un sábado por la tarde fui a la oficina, me encerré en una pequeña sala de conferencias y me senté. Durante tres horas estuve ahí sentado, aclarando las cosas conmigo mismo: "¿qué anda mal conmigo? ¿Qué está sucediendo?".

Solo llegué a una conclusión. Finalmente, lo reduje a una cosa. Debía admitirlo. No estaba viendo a la gente.

"¿Cómo voy a obligarme a ver a los demás?", pensé. "Sin duda tengo suficiente incentivo. Necesito el dinero. No soy perezoso".

Por último decidí volver a llevar registros.

Un año después, estaba de pie ante de nuestra agencia contando mi historia con entusiasmo y orgullo. En secreto, y durante doce meses, había mantenido un registro meticuloso de mis llamadas. Eran precisos, porque todos los días había tomado nota de las cifras. Había hecho 1.849 llamadas. De esas llamadas, me había reunido con 828 personas y había cerrado 65 ventas. Mi comisión ascendía a $4.251,82 dólares.

¿Cuál era el valor de cada llamada? Eso lo encontré. Cada llamada que había hecho me había costado $2,30 dólares. ¡Piénsalo! Un año atrás estaba tan desanimado que había renunciado. Ahora, todas las llamadas que había hecho, sin importar si había concretado una cita o no, había puesto $2,30 dólares en mi bolsillo.

Nunca pude encontrar palabras para expresar el valor y la fe que estos registros me daban.

Más adelante te mostraré cómo el llevar esos registros me ayudó para organizarme al punto que pude aumentar gradualmente el valor de mis llamadas de $2,30 a $19,00 cada una. Te mostraré cómo, en un período de varios años, reduje mi promedio de cierre de venta de una por cada veintinueve a una por cada veinticinco, y luego una por cada veinte, avanzando a una por cada diez y, finalmente, una por cada tres. Permíteme dar un ejemplo por ahora:

Los registros mostraban que el setenta por ciento de mis ventas las hacía en la primera cita, el veintitrés por ciento era en la segunda y el siete por ciento en la tercera o subsiguientes. Pero presta atención a esto: el cincuenta por ciento de mi tiempo se iba trabajando para lograr ese siete por ciento. "Así que ¿por qué molestarse con el siete por ciento?", pensé. "¿Por qué no dedicar todo mi tiempo a la primera y la segunda cita?". Esa única decisión aumentó el valor de cada llamada de $2,80 a $4,27 dólares.

Si no llevamos registros, no tenemos cómo saber qué estamos haciendo mal. Puedo lograr más inspiración al estudiar mis propios registros que cualquier otra cosa que pueda leer en una revista. Clay W. Hamlin, uno de los más grandes vendedores del mundo, me ha inspirado a menudo, así como a otros miles. Clay me dijo que, antes de comenzar a llevar registros, fracasó como vendedor en tres ocasiones.

Encontré que la frase: "no puedes golpearla si no mueves el bate" era igual de válida en las ventas como en el béisbol. Cuando jugaba con los Cardenales, teníamos un jardinero derecho llamado Steve Evans. Steve era un tipo grande y fuerte, con la contextura de Babe Ruth, y podía golpear una bola casi tan duro como Babe. Pero Steve tenía una mala costumbre. Su hábito era esperar. Por lo general, se ganaba dos *strikes* antes de empezar a mover el bate. Recuerdo que, en un importante juego en San Luis, le llegó a Steve su turno al bate durante la novena entrada, teníamos dos *outs* y las bases llenas. Cualquier golpe a la pelota garantizaba que ganaríamos el partido. Steve tomó su bate favorito y se dirigió hacia el plato. Todos gritaban: "¡vamos, Steve, golpea la primera bola!".

Cuando tomó su posición sobre el plato, podías ver, Steve tenía la intención de golpear esa primera bola... pero esta pasó directamente sobre el plato y Evans no movió el bate.

"*Strike* uno", rugió el árbitro.

"¡Vamos Steve!, mueve el bate con la próxima bola", gritaban los jugadores y el público.

Steve clavó sus zapatos en el piso para tomar un nuevo punto de apoyo. ¡Una vez más el lanzador mandó una bola justo por el medio!

Y, de nuevo, Steve no movió el bate. "¡*Strike* dos!" bramó el árbitro.

"¡Evans!", gritó Roger Bresnahan, nuestro director, desde la línea de entrenamiento en la tercera base. "¿Qué rayos estás esperando?".

"¡El primero y el decimoquinto, qué crees!", respondió Steve, gritando con disgusto (el 1 y el 15 eran los días de pago).

Cada vez que veo vendedores sentados en la oficina durante las horas en las que deberían estar vendiendo, jugando al solitario con tarjetas de clientes potenciales, recuerdo a Steve Evans con su bate en el hombro, dejando pasar las buenas pelotas, y escucho Bresnahan gritar: "¿qué rayos estás esperando?".

Vender es el trabajo más fácil del mundo si trabajas duro, pero el más difícil si tratas de hacerlo sin esfuerzo.

Ya sabes, un buen médico no trata los síntomas, trata la causa. Así que vayamos al punto central de esta proposición de ventas:

No puedes recibir tu comisión mientras no hagas la venta.
No puedes hacer la venta mientras no envíes la orden.
No puedes enviar la orden mientras no tengas una entrevista con un cliente.
¡Y no puedes tener una entrevista con un cliente mientras no hagas la llamada!

Esto es todo resumido. Este es el cimiento del negocio de las ventas.

— ¡Llamadas!

3

Algo que hice y me ayudó a destruir el peor enemigo que alguna vez tuve que enfrentar

Durante ese primer año, mis ingresos eran tan bajos que acepté un trabajo de medio tiempo como entrenador del equipo de béisbol de la Universidad de Swarthmore.

Un día, recibí una invitación de la YMCA de Chester, Pensilvania, para que fuera allá y diera una charla sobre "las tres L: vida limpia, carácter limpio y deporte limpio". Al leer esa carta, vi lo absolutamente imposible que era para mí aceptar la invitación. De hecho, de repente caí en la cuenta de que no tenía el valor para hablar de manera convincente a solo una persona, mucho menos a cien.

En ese momento, comencé a ver que, si quería que me fuera bien en algo, tenía que superar esta timidez y el miedo a hablar con extraños.

Al día siguiente, fui a la YMCA, en el 1421 de la calle Arch en Filadelfia, y le dije al director de educación por qué yo creía que era un fracaso. Le pregunté si tenían algún curso que me pudiera ayudar. Él sonrió y dijo: "tenemos exactamente lo que necesitas. Ven conmigo". Lo seguí por un largo pasillo. Entramos a una sala donde había varios hombres sentados. Uno de ellos estaba terminando de hablar y otro estaba de pie haciendo sus críticas al orador. Nos sentamos en la parte trasera de la sala. El director de educación me susurró al oído: "este es un curso para hablar en público".

Yo nunca había oído hablar de "un curso para hablar en público".

En ese momento, otro hombre se puso de pie y comenzó a pronunciar un discurso. Era terrible. De hecho, era tan terrible que me animó a mí. Me dije a mí mismo: "asustado y tonto como soy no puedo hacerlo peor que él".

Poco después, el hombre que había estado criticando al orador anterior volvió. Nos presentaron. Se llamaba Dale Carnegie.

Le dije: "quiero unirme al curso". Él me dijo: "vamos a la mitad del curso. Tal vez prefiera esperar. Vamos a empezar otra clase en enero".

"No", dije, "quiero empezar ahora mismo".

"Está bien". El señor Carnegie sonrió y dijo, tomándome del brazo: "usted es el siguiente orador".

Desde luego, yo estaba temblando, de hecho, estaba aterrorizado, pero logré decirles por qué estaba allí. Fue terrible, pero aunque mi discurso fue terrible, esa fue una gran victoria para mí. Antes de eso, ni siquiera podía pararme ante una multitud y decir: "¿cómo están?".

Esto sucedió hace treinta años en el mes en el que estoy escribiendo estas líneas, pero esa noche siempre se destacará en mi memoria como el comienzo de lo que terminó siendo una de las fases más importantes de mi vida.

Me inscribí en el curso justo en ese momento y asistí con frecuencia a las reuniones semanales.

Dos meses después, fui a Chester e hice ese discurso. Había aprendido que era relativamente fácil hablar de mis propias experiencias, así que en Chester hablé sobre mis experiencias en el béisbol, mi experiencia con Miller Huggins, y sobre cómo llegué a las grandes ligas con los lanzamientos de Christy Mathewson. Me asombraba que podía seguir hablando durante casi media hora, y me sorprendía aún más que veinte o treinta personas se me acercaran después y me dijeran cuánto lo habían disfrutado.

Ese fue uno de los más grandes triunfos en mi vida. Eso me dio confianza como ninguna otra cosa lo había hecho antes. Para mí, todo eso parecía un milagro. Era un milagro. Dos meses antes había tenido miedo de hablar con cualquier persona en términos formales, ahora, ahí estaba yo, de pie ante un grupo de más de cien personas, manteniendo su atención y disfrutando de la experiencia. Salí de esa habitación siendo un hombre nuevo.

Me di a conocer mejor a ese grupo con un discurso de veinticinco minutos que si hubiera asistido durante meses como miembro anónimo.

Para mi sorpresa, J. Borton Weeks, un prominente abogado del condado de Delaware, quien había actuado como presidente de la reunión, me acompañó hasta la estación. Cuando subí al tren, me estrechó la mano, me dio las gracias profusamente y me invitó a volver tan pronto como encontrara una oportunidad. "Uno de mis asociados abogados y yo hemos estado hablando sobre comprar un seguro de vida", dijo cuando el tren empezó a moverse.

Curiosamente, "encontré la oportunidad" para volver a Chester muy pronto.

Pocos años después de eso, J. Borton Weeks llegó a ser el presidente del Automóvil club Keystone, el segundo club de automóviles más grande del mundo. Borton Weeks llegó a ser uno de mis mejores amigos y, además, uno de mis mejores centros de influencia en los negocios.

Si bien esta conexión resultó siendo muy rentable, no fue nada en comparación con la autoconfianza y el valor que gané con el entrenamiento que recibí al tomar el curso para hablar en público. Amplió mi visión y estimuló mi entusiasmo, me ayudó a expresar mis ideas de una manera más convincente ante los demás y me ayudó a destruir el peor enemigo que alguna vez tuve que enfrentar, el miedo.

Animo a cualquier hombre o mujer para quien el miedo es un obstáculo, y a quien le falte coraje y confianza en sí mismo, a que se vincule al mejor curso para hablar en público que haya en su comunidad. No te inscribas a cualquier curso para dar conferencias. Vincúlate a un curso en el que tengas que hablar en cada reunión, porque eso es lo que necesitas, adquirir experiencia en oratoria.

Si no puedes encontrar un curso bueno y práctico, haz lo que hizo Ben Franklin. Ben reconoció el gran valor de este tipo de capacitación y formó el club llamado el "Junto" aquí en mi ciudad natal. Organicen reuniones semanales. Nombren a un nuevo presidente para cada semana o mes. Si no pueden conseguir a un buen instructor, critíquense unos a otros, así como el Junto lo hacía hace doscientos años.

Vi que los miembros de nuestra clase que más se beneficiaban y mostraban los mejores avances eran quienes ponían en práctica su entrenamiento. Así que, aunque no era bueno, busqué oportunidades para hablar en público. Casi me muero de pánico escénico al principio, pero logré hacerlo.

Incluso enseñé en una clase de escuela dominical de ocho niños. Después, acepté ser el superintendente de la escuela dominical. Seguí siendo superintendente durante nueve años. El efecto de esta capacitación y experiencia se extendió a mis conversaciones privadas con otras personas. Esta fue una de mis mejores experiencias.

Todos los líderes y hombres de éxito que he conocido han tenido el valor y la confianza en sí mismos, y veo que la mayoría de ellos pueden expresarse de forma convincente.

La mejor manera que encontré para superar el miedo y desarrollar rápidamente valor y confianza en mí mismo es hablar ante grupos. Descubrí que, cuando perdí el miedo a hablar en público, perdí el miedo a hablar con otras personas, sin importar cuán grandes o importantes fueran. Esta formación y experiencia para hablar en público me sacó de mi caparazón, me abrió los ojos a mis propias posibilidades y amplió mis horizontes. Ese fue uno de los momentos decisivos en mi vida.

4

La única manera como pude organizarme

Poco después de haber comenzado a llevar registros, descubrí que era una de las personas más desordenadas del mundo. Me había fijado la meta de hacer dos mil llamadas al año, a razón de cuarenta por semana. Pero pronto quedé tan irremediablemente atrás de esa meta, que me avergonzaba llevar algún registro. Tenía buenas intenciones. Seguí tomando nuevas decisiones, pero nunca duraban mucho tiempo. Sencillamente no lograba organizarme.

Por último, pensé que debía tomar más tiempo para planear. Era fácil reunir cuarenta o cincuenta tarjetas de clientes potenciales y creer que estaba preparado. Esto no tomaba mucho tiempo. Pero revisar los registros, estudiar atentamente cada llamada, planificar exactamente lo que iba a decirle a cada persona, elaborar propuestas, escribir cartas y luego hacer un horario para organizar las llamadas de cada día, de lunes a viernes, siguiendo el orden correcto, requería cuatro a cinco horas completas de trabajo intensivo.

Así que separé la mañana del sábado y la llamé "el día de la autoorganización". ¿Este plan me ayudó? ¡Escucha! Al empezar cada lunes por la mañana, en vez de tener que impulsarme a hacer llamadas, empezaba de inmediato a encontrarme con otras personas, con confianza y entusiasmo. Estaba ansioso y deseoso de verlas, porque había pensado en cada uno de ellos, había estudiado su situación y tenía algunas ideas que, en mi opinión, podían ser útiles para ellos. Al terminar la semana, en lugar de sentirme cansado y desanimado, de hecho me sentía eufórico y con ánimo por la emoción de que podría irme aún mejor la próxima semana.

Unos años después, pude mover mi "día de autoorganización" a la mañana de los viernes, liberando el resto de la semana y olvidándome de los negocios hasta el lunes por la mañana. Es sorprendente cuántas cosas puedo hacer cuando dedico el tiempo suficiente para planear y es perfectamente increíble lo poco que logro cuando no lo hago. Prefiero trabajar con un horario apretado cuatro días y medio a la semana y alcanzar una meta, que estar trabajando todo el tiempo y nunca llegar a ninguna parte.

He leído que el gran industrial Henry L. Doherty decía: "puedo contratar personas para que hagan todo excepto dos cosas, pensar y hacer todo en orden de importancia".

Ese era precisamente mi problema. Sin embargo, después de resolverlo cada semana durante tantos años, creo que la verdadera respuesta es tan sencilla como esto: toma el tiempo suficiente para pensar y planificar.

Al final de este capítulo, verás un "horario semanal" típico. No lo hice como ejemplo. Saqué algunos pocos de mis archivos y usé uno como ilustración. También podrás ver una "tarjeta de registro" de un mes, lo cual también puede ser útil para cualquiera que esté planeando su tiempo.

Sí, puedo oírte decir: "¡eso no es para mí! No puedo vivir de acuerdo a un horario. No sería feliz". Bueno, te tengo buenas noticias. Ya estás *viviendo según un horario* y, si no es planeado, probablemente es uno muy malo. Déjame darte un ejemplo. Hace varios años, un joven se me acercó en busca de consejo. Se había graduado con altos honores de una de nuestras mejores y más antiguas universidades y había ingresado a trabajar en ventas con una gran expectativa. Pero, después de dos años, estaba muy desanimado. Él me dijo: "señor Bettger, dígame sinceramente, ¿usted cree que tengo lo que se necesita para ser vendedor?".

"No, Ed", le respondí, "no creo que tengas lo que se necesita para ser un vendedor".

Su expresión decayó, pero yo proseguí. "No creo que nadie tenga lo que se necesita para ser un vendedor o cualquier otra cosa. Creo que nosotros mismos debemos encargarnos de obtener lo que se necesita para ser lo que queremos ser".

"No comprendo", dijo Ed. "Siempre estoy ocupado y trabajando. ¿Por qué?, no tengo tiempo para ir yo mismo a comprarme una corbata. ¡Si tan solo pudiera organizarme!".

Ahora, resulta que yo sabía que este joven solía llegar tarde a trabajar. Así que le dije: "Ed, ¿por qué no te unes al 'Club de las seis en punto'?".

"El 'Club de las seis en punto'", preguntó. "¿Eso qué es?".

"Hace unos años", le expliqué, "leí que Benjamin Franklin decía que únicamente unos pocos hombres viven hasta alcanzar la vejez y aún menos alcanzan el éxito si no son madrugadores. Así que puse mi despertador una hora y media más temprano en la mañana. Usaba una hora de ese tiempo para leer y estudiar. Por supuesto, pronto empecé a acostarme más temprano, pero prosperé al hacerlo".

Ese día, Ed aceptó comprar un reloj de alarma y unirse al "Club de las seis en punto". Apartó la mañana de los sábados para usarla como "día de autoorganización". En poco tiempo, sus problemas habían quedado atrás y Ed estaba teniendo éxito en las ventas. Tan solo cuatro años después, fue nombrado director de una gran zona oriental en una de las grandes empresas industriales.

Hace poco tiempo entrevisté a uno de los ejecutivos de la *International Business Machines Corporation*, una empresa que tiene una de las calificaciones más altas del mundo en cuanto a métodos de capacitación en ventas. Le pregunté acerca de la importancia que le daban a su "Hoja de trabajo semanal".

Él dijo: "señor Bettger, nosotros les damos a nuestros vendedores ciertas herramientas que consideramos esenciales para su éxito. Nuestra herramienta número uno es la "Hoja de trabajo semanal". Cada vendedor debe completarla dando los nombres de todas las personas que planea ver durante la próxima semana y debe entregarnos con antelación una copia del trabajo de cada semana".

"¿Ustedes hacen cumplir esta norma en todos los 79 países en los que operan?", pregunté.

"Claro que sí", respondió.

"¿Qué pasaría", le pregunté, "si un vendedor se negara a utilizar esta herramienta número uno?".

"No podría pasar. Pero en caso de que así fuera, el vendedor no podría trabajar para nosotros".

Esas fueron sus palabras exactas.

La mayoría de hombres de éxito que he conocido son absolutamente despiadados con su tiempo. Por ejemplo,

Lawrence Doolin, uno de los funcionarios de la *Fidelity Mutual Life Insurance Company* en Filadelfia, un día me habló acerca de una experiencia que tuvo hace poco. Una noche, Larry llamó por teléfono a su gerente en Altoona, Pennsylvania, Richard W. Campbell, y le dijo: "Dick, la próxima semana daré inicio a un viaje por la zona oeste para visitar varias de nuestras agencias. El lunes voy a estar en Harrisburg. Quisiera pasar el martes en Altoona con ustedes".

Dick respondió: "Larry, estoy ansioso por verte, pero para mí sería imposible verte antes del próximo viernes por la tarde".

El viernes siguiente, durante el almuerzo, Larry comenzó: "¿no estuviste en la ciudad toda la semana, Dick?".

"No," respondió Dick, "he estado aquí toda la semana".

Sorprendido, Larry dijo: "¿quieres decir que el martes estabas aquí en Altoona?"

"Sí", sonrió Dick.

Con una considerable sensación de resentimiento, Larry dijo: "Dick, ¿te das cuenta de lo que me has hecho hacer? ¡Me hiciste aplazar mis escalas desde Cincinnati! Esta noche debo volver allá y salir a Detroit".

Dick Campbell le explicó: "escucha Larry, antes de que me llamaras, había dedicado cinco horas de la mañana del viernes pasado para planear toda semana. El martes era uno de los días más importantes. Ya había concretado varias citas. Si hubiera pasado todo el martes contigo, eso habría interrumpido mi horario de toda la semana. Por favor no te ofendas Larry. Si hubiera sido E.A. Roberts, el presidente de la compañía, habría hecho lo mismo. El éxito que he alcanzado en este negocio se debe al hecho de que no permito que nada ni nadie interfiera con la programación de la semana, la cual preparo todos los viernes".

Larry Doolin me dijo: "Frank, cuando escuché esto por primera vez, quedé muy sorprendido. Pero no me enfadé. Rápidamente comprendí que ese era el verdadero secreto del exitoso crecimiento de Dick Campbell".

Larry me dijo que, al abordar el tren esa noche, estaba encendido con un nuevo entusiasmo. Desde entonces ha estado contando esta historia a vendedores de todo el país.

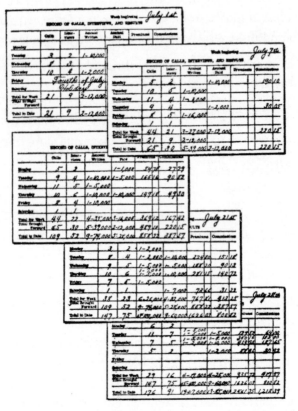

Muestra de tarjetas de registro de un mes con los resultados reales de planificación y comisiones ganadas

Pasé la mayor parte del verano de 1926 en Eaton's Dude Ranch, situado en las estribaciones de las montañas Big

Horn, cerca de Sheridan, Wyoming. Mary Roberts Rinehart, autora de más de cincuenta novelas y una de las escritoras mejor pagas de los Estados Unidos, construyó allá su casa de verano. Le pregunté a la señora Rinehart cómo había llegado a ser escritora. Esto es lo que dijo en sus propias palabras:

Siempre pensé que podía aprender a escribir si tuviera el tiempo, pero debía cuidar de mis tres hijos pequeños y mi esposo, así como de mi madre, quien durante varios años fue inválida. Luego, en medio de un pánico financiero, lo perdimos todo. Las deudas me estaban enloqueciendo. Así que decidí ganar algo de dinero escribiendo e hice un calendario planificando con antelación cada hora de la semana. Separé ciertas horas para escribir durante el día y por la noche después de acostar a los niños mientras el doctor Rinehart trabajaba.

Horario semanal

	Lunes 14/6	Martes 15/6	Miércoles 16/6	Jueves 17/6	Viernes 18/6
MAÑANA	Rosengarten Siano	Buehler Barger Dick	Coale Feliton McClemmen	Madden Hazletti Weaver	Corte de pelo 8 am Planeación 8:45 am
ALMUERZO	Zuigley	Trout	McBride	Kroll	
TARDE	Connelly Dutcher Dick	Lueders Ackley Rigley Levick	Silver Hoast Karl	Fretz Paoli Stiefel Derry	
NOCHE	Paul Fisher		Henze		

Horario semanal típico con el que pude organizarme

Le pregunté si trabajar con una agenda tan apretada no le resultaba desgastante. "Por el contrario", sonrió al responder, "mi vida tomó un nuevo aire".

Mary Roberts Rinehart no supo cuánto me inspiró. Después de volver a casa, hice un trabajo mucho mejor de lo que había hecho antes administrando a Frank Bettger y su tiempo.

Hace muchos años, me encontré con un poema de Douglas Malloch. Lo recorté y lo puse en mi bloc de notas. Lo leí y lo volví a leer hasta que lo memoricé. Este texto hizo algo por mí y tal vez también pueda hacer algo por ti. Aquí está:*

*Reproducido con permiso de la señora Douglas Malloch.

Quizás no haya nada malo en ti,
en la forma como vives, el trabajo que haces,
pero claramente puedo ver
lo que hay mal en mí.
No es que sea indolente
o que esté evadiendo mis responsabilidades a propósito;
trabajo tan duro como cualquier persona,
y, sin embargo, logro hacer muy poco,
la mañana se va, el mediodía llega,
y antes de darme cuenta, la noche se acerca.
Por todas partes me lamento,
hay cosas que no he terminado aún.
¡Si tan solo pudiera organizarme!
Muchas veces me he dado cuenta:
el hombre no es lo único que importa,
el hombre también debe tener un plan.

Quizás no haya nada malo en ti,
pero este ha sido mi problema:
hago lo que no vale,
no tiene mucha importancia,
pero que de verdad parece importante,
y dejo pasar mucho de lo que sí importa.
Hago un poco acá, otro poco allá,

pero nunca termino lo que estoy haciendo.
Trabajo tan duro como cualquier persona
y, sin embargo, logro hacer muy poco.
Podría hacer tanto que te sorprenderías,
¡si tan solo pudiera organizarme!

RESUMEN DE LA PRIMERA PARTE

Recordatorios de bolsillo

1. Oblígate a actuar con entusiasmo y así llegarás a ser entusiasta. "Toma la más elevada y santa decisión de duplicar la cantidad de entusiasmo que has estado imprimiendo a tu trabajo y a tu vida. Si pones en práctica esa decisión, probablemente dupliques tus ingresos y tu felicidad".

¿Cómo puedes empezar? Únicamente hay una norma: "para ser entusiasta, actúa con entusiasmo".

2. Recuerda la única frase pronunciada por Walter LeMar Talbot. "Después de todo, el negocio de las ventas se reduce a una cosa: ¡ver a las personas! ¡Muéstrenme a un hombre con capacidades comunes y corrientes que esté dispuesto a salir y contar su historia con sinceridad a cuatro o cinco personas cada día, y yo les mostraré a alguien que no podrá evitar el éxito!"

3. Si quieres superar el miedo y rápidamente desarrollar valor y autoconfianza, inscríbete en un buen curso de oratoria, no solo un curso de conferencias. Vincúlate a un curso en el que tengas que hablar en cada reunión. Cuando pierdas el miedo a hablar en público, perderás el miedo a hablar con otras personas, no importa cuán grandes o importantes sean.

4. Una de las mayores satisfacciones en la vida está en completar el trabajo y saber que lo hiciste conforme a tus mejores capacidades. Si se te dificulta ser organizado, si deseas mejorar tu capacidad de pensamiento y hacer las cosas en orden de importancia, recuerda que solo hay una manera de hacerlo: toma más tiempo para pensar y hacer todo en orden de importancia. Cada semana separa un día o un tiempo definido para organizarte. El secreto para ser libre de la ansiedad por no tener tiempo suficiente no radica en trabajar más horas, sino en planificar las horas de forma adecuada.

SEGUNDA PARTE

Fórmula para el éxito en las ventas

5

Cómo aprendí el secreto más importante en el arte de las ventas

Una cálida mañana de agosto, entré a las oficinas de John Scott and Company, las grandes tiendas de comestibles al por mayor, en las calles American y Diamond, en Filadelfia, y pregunté por el Sr. John Scott. Uno de sus hijos, Harry, dijo, "papá está muy ocupado esta mañana. ¿Él lo está esperando?".

"No, no tengo una cita con él", contesté, "pero me pidió información acerca de mi empresa y he venido a proporcionársela".

"Bueno", dijo el hijo, "creo que ha llegado el día equivocado. Papá está atendiendo a tres personas en su oficina ahora, y...".

Justo en ese momento, John Scott pasó hacia el almacén.

"¡Papá!", llamó el hijo, "aquí está un hombre que quiere verte".

"¿Quería verme, joven?", habló el jefe, mirando sobre su hombro mientras pasaba por la puerta giratoria del almacén.

Lo seguí, y la siguiente es la conversación que tuvimos ahí de pie:

Yo: mi nombre es Bettger. Usted me pidió algo de información acerca de nosotros y he venido a dársela (le entregué la tarjeta que había firmado y enviado por correo a mi empresa).

Scott (mirando a la tarjeta): bueno, joven, no quiero la información, pero pensé que así podría obtener el libro de notas que su empresa dijo tener para mí. Me enviaron varias cartas diciendo que tenían un libro con mi nombre, por eso envíe la tarjeta.

Yo (entregándole el libro de notas): señor Scott, estos libros no venden ningún seguro de vida por nosotros, pero nos abren puertas y nos dan la oportunidad de contar nuestra historia.

Scott: bueno, tengo a tres personas esperándome en mi oficina y voy a estar ocupado un buen rato. Además, sería una pérdida de tiempo hablar sobre seguros. Tengo 63 años de edad, dejé de comprar seguros hace años. Ya pagué la mayoría de mis pólizas. Mis hijos ya son adultos y tienen más capacidad de cuidarse a sí mismos que yo. Solo quedamos mi esposa y una hija que todavía vive con nosotros. Si algo me sucediera, tendrían más que suficiente dinero para ellas.

Yo: señor Scott, un hombre con tanto éxito en la vida como usted, sin duda, debe tener intereses fuera de su familia y su negocio. Tal vez un hospital, trabajo eclesial, misiones u obras de caridad con un propósito valioso. ¿Alguna vez ha pensado que cuando muera su apoyo cesará? ¿Una perdida como esta no afectaría seriamente o incluso implicaría la terminación de una gran obra? (él no respondió a mi pregunta, pero, por la expresión en su rostro, pude ver que tenía su atención y él esperaba yo continuara).

Señor Scott, con nuestro plan, usted puede garantizar todo su apoyo ya sea que esté vivo o muerto. Si usted vive siete años más a partir de ahora, entonces comenzará a recibir un ingreso de $5.000 dólares anuales en cheques mensuales mientras esté vivo. Si no necesita estos ingresos, puede donarlos, pero si alguna vez lo llega a necesitar, ¡sería una gran bendición para usted!

Scott (mirando el reloj): si quiere esperar un poco, quisiera algunas preguntas al respecto.

Yo: con gusto esperaré.

(Unos veinte minutos después, me dijeron que pasara a la oficina privada del señor Scott).

Scott: bueno, ¿cómo se llama?

Yo: Bettger.

Scott: señor Bettger, usted me habló de obras de caridad. Yo apoyo a tres misioneros extranjeros y dono una considerable cantidad de dinero a obras que aprecio mucho. Ahora, ¿a qué se refería con que este plan garantizaría mi apoyo aun después de que muera? Luego dijo que dentro de siete años puedo empezar a recibir un ingreso de $5.000 dólares al año, ¿cuánto me costaría eso?

(Cuando le dije el costo, se vio sorprendido).

Scott: ¡No! ¡No consideraría algo así!

Luego le pregunté más acerca de los tres misioneros extranjeros. Al parecer, le agradaba hablar de ellos. Le pregunté si alguna vez había visitado alguna de las misiones. No, no lo había hecho, pero uno de sus hijos y su nuera estaban a cargo de la misión en Nicaragua y él estaba planeando viajar a visitarlos en el otoño. Luego me contó varias historias sobre el trabajo que ellos hacían.

Lo escuché con gran interés. Luego le pregunté: "señor Scott, cuando usted viaje a Nicaragua, ¿no le gustaría decirles a su hijo y su pequeña familia que acaba de hacer arreglos, previendo que si algo le llegara a suceder a usted, ellos recibirán un cheque mensual para que su trabajo pueda continuar sin interrupción? ¿Y no le gustaría escribir una carta, señor Scott, a los otros dos misioneros, dándoles el mismo mensaje?".

Siempre que él decía que era demasiado dinero para pagar, yo hablaba más, hacía más preguntas acerca del gran trabajo que sus misioneros extranjeros estaban haciendo.

Él termino comprando el seguro. Ese día hizo un depósito de $8.672 dólares para poner el plan en acción.

Salí de esa oficina flotando en el aire. Puse el cheque en mi bolsillo, pero lo sostuve con la mano. Tenía miedo de perderlo. Pensaba en la horrible pesadilla que sería si lo perdía antes de volver a la oficina. ¡Tenía un cheque por $8.672 dólares! ¡Ocho mil, seiscientos setenta y dos dólares! Dos años antes, había estado procurando obtener un empleo como empacador. Sin duda, esa venta me dio una de las mayores emociones de mi vida. Cuando llegué a la oficina central de mi empresa, me sorprendió escuchar que esa era una de las mayores ventas individuales que habían hecho en toda su historia.

Esa noche no pude comer. Estuve despierto casi hasta la mañana siguiente. Esto fue el 3 de agosto de 1920, nunca olvidaré la fecha. Yo era el hombre más entusiasmado de Filadelfia.

Puesto que esta venta la había hecho un torpe empleado como yo, que nunca había terminado la escuela primaria, eso daba una gran sensación. Pocas semanas después, me invitaron a contar mi historia en una convención nacional de ventas en Boston.

Después de mi charla en la convención, un vendedor reconocido a nivel nacional, Clayton M. Hunsicker, quien casi me doblaba en edad, se acercó, me estrechó la mano y me felicitó por la venta. Después me dijo algo que luego llegué a entender como el más profundo secreto para el trato con las personas.

Él dijo: "todavía me queda la duda de si entiendes exactamente por qué pudiste hacer esa venta".

Le pregunté a qué se refería.

Luego musitó la verdad más importante que alguna vez haya escuchado en cuanto al arte de las ventas. Él me dijo: "el secreto más importante en el arte de las ventas es identificar lo que la otra persona quiere y luego ayudarle a encontrar la mejor manera de obtenerlo. En el primer minuto de tu entrevista con el señor Scott, diste un golpe a ciegas y, por casualidad, encontraste lo que querías. Luego le mostraste cómo podía conseguirlo. Seguiste hablando más al respecto y haciendo más preguntas, sin dejar que se alejara de lo que quería. Si siempre recuerdas esta regla, será fácil vender".

Durante el resto de mis tres días en Boston, no pude pensar en otra cosa excepto lo que el señor Hunsicker me había dicho. Él tenía razón. De verdad no había descubierto por qué había podido hacer esa venta. Si Clayt Hunsicker no lo hubiera analizado e interpretado por mí, podría haber seguido a tropezones con el paso de los años. Mientras pensaba en lo que él había dicho, empecé a comprender por qué había estado enfrentando tanta oposición en la mayoría de mis entrevistas. Vi que estaba irrumpiendo, hablando para vender, sin conocer ni tratar de averiguar algo acerca de la situación de la otra persona.

Estaba tan entusiasmado con este nuevo concepto que había utilizado sin saber, que no podía esperar a volver a Filadelfia para usarlo.

Todo esto me hizo pensar más en John Scott y su situación. De repente, se me ocurrió que él tenía algo más de qué ocuparse, planear el futuro de su empresa. Él me había dado muchos detalles acerca de cómo, cuando llegó a Estados Unidos procedente de Irlanda, siendo un joven de diecisiete años, obtuvo un empleo en una pequeña tienda de comestibles. Luego comenzó su propio negocio y poco a poco construyó una de las mejores empresas de abarrotes al por mayor del Este. Sin duda, él tenía un cariño especial hacia esa empresa. Era el trabajo de toda su vida. Seguramente él querría que continuara mucho tiempo después de que muriera.

Un mes después de volver de la convención de Boston, ayudé a John Scott a elaborar un plan para incluir a sus hijos y otros ocho empleados en su empresa. Esto se oficializó con una cena que él ofreció en el Club de industriales de Filadelfia para estos hombres clave. Yo fui el único invitado externo. El señor Scott se puso de pie después de cenar y, en un corto y emotivo discurso, les dijo a sus hombres lo feliz que estaba en esa ocasión. "Ahora he hecho arreglos para el futuro de las dos cosas muy cercanas a mi corazón, mi empresa y las misiones que fundé en el extranjero".

El seguro de vida que vendí para todos estos hombres clave de la empresa, incluyendo importes adicionales para el señor Scott, totalizaron una venta que, en un solo día, representó más dinero del que nunca antes había ganado en todo año de ventas.

La noche de la cena, vi con total claridad la valiosa lección que Clayt Hunsicker me había enseñado. Antes de esto, había visto las ventas como una forma de ganarme la vida.

Antes tenía miedo de buscar a las personas porque temía ser una molestia. ¡Pero ahora estaba inspirado! En ese mismo momento, decidí dedicar el resto de mi carrera a este principio de ventas:

Identificar lo que las personas quieren y ayudarles a conseguirlo

No puedo alcanzar a expresar el nuevo tipo de valor y entusiasmo que esto me dio. Era algo más que una técnica de ventas. Era una filosofía de vida.

6

Dando en el blanco

Algo que me sorprendió en la convención en Boston fue la asistencia de una gran cantidad de vendedores principales de todo el país. Algunos de ellos habían ido desde California, Texas y Florida.

Le pregunté a mi nuevo amigo, el señor Hunsicker, al respecto.

"Escucha", dijo en tono confidencial, "estos mejores vendedores están deseosos de tener nuevas ideas y siempre andan buscando cómo hacer mejor su trabajo. Asiste a la mayor cantidad de convenciones de ventas que puedas. Si solo obtienes una idea, entonces el tiempo y el dinero dedicados serán la mejor inversión que jamás puedas hacer. Además, te dará la oportunidad de conocer a algunos de los mejores colegas. Conocerlos personalmente y escucharlos hablar te servirá de inspiración. Volverás a casa con una nueva confianza y entusiasmo".

Sin duda, este consejo funcionó para mí en ese viaje. El mismo señor Hunsicker era uno de esos grandes colegas, y la idea que me dio fue invaluable. No era extraño que hubiera estado errando el blanco tantas veces. ¡Ni siquiera sabía cuál era el objetivo! En el béisbol se suele decir: "no puedes golpearla si no las ves". Después que Clayt Hunsicker me mostró el blanco, volví a casa y empecé a disparar directo al centro.

Un par de años después, en una convención en Cleveland, un orador cuyo nombre hace tiempo olvidé hizo una poderosa presentación acerca de lo que él llamó "la Regla número uno en el arte de las ventas". Él dio un ejemplo que nunca olvidaré:

Una noche, uno de los principales edificios de la Universidad de Wooster quedó totalmente destruido por un incendio. Dos días después, el joven presidente de la Universidad, Louis E. Holden, fue a visitar a Andrew Carnegie.

Yendo directo al grano, Louis Holden dijo: "señor Carnegie, usted es un hombre muy ocupado y yo también. No le quitaré más de cinco minutos. El edificio principal de la Universidad Wooster quedó reducido a cenizas antenoche y quiero que usted done $100.000 dólares para uno nuevo".

Carnegie le respondió: "joven, yo no creo en donar dinero a universidades".

Holden le respondió: "pero sí cree en ayudar a los jóvenes, ¿verdad? Soy un hombre joven, señor Carnegie, y estoy en un gran aprieto. Ingresé al negocio de crear universitarios a partir de materias primas y ahora he perdido gran parte de mi planta de producción. Usted sabe cómo se sentiría si una de sus grandes fábricas de acero quedara destruida, justo durante la temporada alta".

Carnegie le respondió: "recauda $100.000 en treinta días y yo te daré otros cien".

Holden le respondió: "que sean sesenta días y tenemos un trato".

Carnegie dijo: "trato hecho".

Tomando su sombrero, el Dr. Holden se dirigió hacia la puerta. El señor Carnegie le dijo: "ahora, recuerde, son sesenta días."

"Muy bien señor, lo entiendo", respondió Holden.

La entrevista de Louis Holden había tomado cuatro minutos. Se tardó cincuenta días en recaudar $100.000 dólares.

Al entregarle su cheque, Andrew Carnegie le dijo riendo: "joven, si alguna vez vienes a verme de nuevo, no te quedes mucho tiempo. Tu visita me costó solo $25.000 dólares por minuto".

Louis Holden había disparado directamente al centro de la diana. Él sabía que uno de los sitios más sensibles en el corazón del señor Carnegie tenía que ver con los jóvenes ambiciosos.

Probablemente el doctor tenía más que ver con vender una idea mucho más grande que recaudar $100.000 dólares para la Universidad Wooster. Andrew Carnegie terminó donando más de $100 millones para el avance de la educación.

Holden aplicó esta regla: identificar lo que las personas quieren y luego ayudarles a conseguirlo. Ese es el gran secreto para vender cualquier cosa.

Hace poco vi una excelente demostración de la manera correcta e incorrecta de aplicar esta regla. Me encontraba en una gran ciudad en el occidente cuando un hombre a quien llamaremos Brown me llamó por teléfono al hotel. Él dijo: "señor Bettger, me llamo Brown. Voy a promover una escuela de ventas aquí en la ciudad para vendedores jóvenes y espero que podamos comenzar el próximo mes. Esta noche tendremos una reunión muy concurrida en el hotel donde usted se está hospedando. Hemos invertido una suma considerable en publicidad para la reunión y creo que tendremos una asistencia de varios cientos de personas. Apreciaría mucho contar con su compañía y que usted nos diera una pequeña charla. Tendremos a muchos otros oradores, así que usted no tiene que hablar más de diez minutos. Por mi experiencia, he aprendido que si no puedo formar una clase grande a partir de esta reunión, todo será un caso perdido, así que estaría muy agradecido con su ayuda... etc... etc.".

Yo no conocía a este hombre Brown. ¿Por qué debía tomarme el trabajo de ayudarlo a promocionar su proyecto? Yo estaba ocupado con muchos compromisos que yo mismo quería hacer. Además, me estaba alistando para partir al día siguiente. Así que le deseé éxito, pero le pedí que por favor me permitiera finalizar la llamada porque era un gran inconveniente justo en ese momento.

Sin embargo, más adelante, ese mismo día, otro hombre, a quien llamaremos White, me llamó por teléfono. Él me estaba contactando para hablar exactamente sobre el mismo proyecto. Veamos cuál fue su método:

Señor Bettger, me llamo White, Joe White. Entiendo que el señor Brown ya le ha mencionado nuestra reunión de inauguración que tendremos esta noche en el hotel. Sé lo ocupado que debe encontrarse al estar próximo a partir, pero si de alguna manera puede estar con nosotros durante unos minutos, señor Bettger, usted nos haría mucho bien. Sé que a usted le interesa ayudar a los jóvenes, y nuestra audiencia estará integrada en gran parte por vendedores jóvenes y ambiciosos que desean mejorar y salir adelante. Usted sabe cuánto habría significado este mismo entrenamiento para usted cuando estaba tratando de empezar. Señor Bettger, ¡fuera de usted, no conozco a otra persona que pudiera hacerle tanto bien a una reunión como esta!.

El primer hombre cometió el mismo error que yo había estado cometiendo (y que habría seguido cometiendo el resto de mi vida, si no hubiera sido por Clayt Hunsicker); habló de sí mismo, su propuesta y lo que quería. El segundo hombre nunca se refirió a lo que quería. Él disparó directamente al centro de la diana. Él se me acercó siempre usando mi punto de vista. Me fue imposible decirle que no a este segundo tipo de apelación.

Dale Carnegie dice: "solo hay una forma bajo el cielo para lograr que alguien haga algo. ¿Alguna vez te has detenido a pensar cuál es? Sí, solo una manera. Y es haciendo que la otra persona quiera hacerlo. Recuerda, no hay ninguna otra manera".

Justo antes de la Segunda Guerra Mundial, me encontraba dando una serie de conferencias en varias ciudades de la costa oeste. Sin falta, después de hablar sobre este tema, algunas personas se me acercaban con preguntas. Una noche en Des Moines, Iowa, un hombre de mediana edad, me dijo: "señor Bettger, veo que esta idea le ha sido de gran ayuda en la venta de seguros de vida, pero yo vendo suscripciones para una revista reconocida a nivel nacional. ¿Cómo puedo aplicar estos principios a mi trabajo?".

Tuvimos una conversación franca. Él había tratado de vender varios tipos de productos durante varios años y, sin duda, se había vuelto muy cínico. Tras sugerirle un método diferente, él se fue, pero yo quedé con la sensación de que nuestra conversación no había sido muy agradable para él.

El siguiente sábado en la mañana, estaba cortándome el cabello en la barbería Hotel Fort Des Moines, cuando este hombre entró corriendo y dijo que se había enterado de que yo saldría en un tren después del mediodía, pero tenía que decirme algo.

"Después de su conferencia del martes en la noche, señor Bettger", dijo con sorprendente entusiasmo, "comprendí por qué no estaba logrando mucho. Yo había estado tratando de vender revistas para hombres de negocios, pero la mayoría de ellos me decían que estaban tan ocupados, que no tenían tiempo para leer las revistas a las que ya se habían suscrito. El miércoles logré obtener una carta de uno de los jueces más prominentes de la ciudad en la que decía que él está suscrito a nuestra revista porque esta le proporciona todas las noticias realmente importantes e interesantes de la semana en una lectura corta en las noches. Luego me hice a una extensa lista de destacados ejecutivos de la ciudad que ya son suscriptores. Ahora, señor Bettger, cuando me acerco a un hombre para ofrecerle mi producto, le muestro la carta del juez y esta lista. La misma objeción que ha sido un obstáculo, ahora es mi mayor activo. Lo que estoy tratando de decirle es que ya no vendo revistas; les vendo a hombres de negocios algo que quieren. Vendo lo más valioso en la vida, más tiempo".

Tan solo unos días antes, este vendedor sentía que la mayoría de las personas a quienes les ofrecía su producto lo menos preciaban. Temía encontrarse con otras personas. Ahora tenía toda una nueva perspectiva en cuanto a la importancia del trabajo que estaba haciendo.

Ahí estaba el mismo hombre, vendiendo el mismo producto, en la misma ciudad, pero triunfando donde antes había estado fracasando.

Como ya lo he dicho, hace unos años fui elegido superintendente de una pequeña escuela dominical. Yo pensaba que la necesidad más importante e inmediata de la escuela era tener una organización más grande, así que le pedí al pastor que me diera cinco minutos de tiempo en el programa del próximo servicio de la iglesia en la mañana del domingo. Yo sabía que tenía que hacer una venta. Ahora, habría podido pararme ante la congregación y decirles que deseaba hacer este trabajo y que esperaba su cooperación y ayuda, pero decidí que tendría una mejor oportunidad para obtener lo que quería si hablaba acerca de lo que ellos querían. Así que esto es lo que hice:

Quiero hablar con ustedes durante unos pocos minutos acerca de algunas de las cosas que desean. Muchos de ustedes tienen hijos. Y quieren que ellos vengan aquí a la escuela dominical y que conozcan a otros niños agradables y que aprendan más acerca de la vida y lo que hay en las verdades en el gran Libro. Ustedes y yo queremos que nuestros hijos no cometan algunos de los errores que yo, al igual que algunos de ustedes, hemos cometido. ¿Cómo podemos hacerlo?

La única manera para hacerlo es creando una organización más grande. Ahora solo tenemos nueve maestros de escuela dominical, incluyendo al pastor mismo. Necesitamos por lo menos veinticinco. Es probable que algunos de ustedes duden en enseñar porque tienen los mismos temores que yo tenía doce meses atrás cuando tomé una pequeña clase de niños, quizás piensen que no tienen suficientes conocimientos bíblicos. Bueno, puedo decirles que en seis meses aprenderán más acerca de este Libro al enseñarles a estos niños durante veinte minutos cada domingo en la mañana de lo que nunca aprenderían en seis años solo escuchando, ¡y esto hará mucho más por ustedes!

Las parejas de casados pueden estudiar y preparar las lecciones juntos. Esto les dará algo más en común, les dará mayor unidad. Si tienen hijos propios, ellos también se interesarán más al ver que ustedes están participando. ¿Recuerdan la parábola de Jesús acerca de los tres hombres que recibieron los talentos? Ustedes, hombres y mujeres, han recibido muchos talentos. No conozco otra mejor manera en la que ustedes puedan mejorar y multiplicar sus talentos que por medio de este trabajo.

¿Qué sucedió? Esa mañana recibimos veintiún nuevos maestros. Al comienzo no había suficientes niños, pero los dividimos. Algunas clases comenzaron con dos o tres. Luego hicimos una campaña de casa en casa. Incluimos a todos los niños de familias protestantes de la comunidad de Wynnefield, Pensilvania. Por último, la pequeña capilla ya no tenía espacio para todos los miembros, ¡así que tuvimos que construir una nueva iglesia! Y en una campaña de tres meses, los miembros de la Iglesia presbiteriana unida de Wynnefield recaudaron $180.000 dólares, contribuidos por aproximadamente 372 hombres, mujeres y niños.

Sin duda, estos maestros no fueron los únicos responsables de este asombroso logro, pero el hecho es que no habría sido posible de no ser por el crecimiento de la escuela bíblica.

Cuando le muestras a alguien qué es lo que quiere, esta persona moverá cielo y tierra para obtenerlo.

Esta ley universal es tan importante que tiene prelación sobre todas las demás leyes de las relaciones humanas. Siempre ha sido así y siempre será la más importante. Sí, se vislumbra como la regla número uno sobre todas las demás reglas de la civilización.

Benjamin Franklin comprendió la importancia de esta ley. Incluso escribió una oración que le ayudó a arraigarla en su corazón. Cuando comencé a leer la autobiografía de Franklin, me llamó la atención saber que él había repetido la misma oración todos los días durante cincuenta años. Vivo en Filadelfia, la ciudad donde Benjamin Franklin pasó la mayor parte de su vida, y él siempre ha sido de inspiración para mí.

Así que me dije a mí mismo: "si esa oración ayudó a Ben Franklin, sin duda debería ayudarme a mí", así que la he estado repitiendo durante más de veinticinco años. Me ayudó a dejar de pensar en mí y lo que podía obtener de una venta, y me hizo pensar en la otra persona y lo que él o ella podía obtener con la venta. Franklin escribió: "... y al percibir a Dios como la fuente de sabiduría, pensé que era justo y necesario pedir su ayuda para obtener esa sabiduría, por lo cual, escribí la siguiente oración que fijé en mis mesas de examen para usarlas a diario".

Esta es la oración de Ben Franklin:

¡Oh poderoso Dios! ¡Padre generoso! ¡Guía misericordioso! Aumenta en mí la sabiduría que descubre mis verdaderos intereses. Fortalece mis decisiones para realizar lo que esa sabiduría dicta. Acepta mis buenos oficios para tus otros hijos como el único pago en mi poder por tus continuos oficios para conmigo.

Resumen

1. El secreto más importante en el arte de las ventas es identificar lo que la otra persona quiere y luego ayudarle a encontrar la mejor manera de obtenerlo.

2. Solo hay una forma bajo el cielo para lograr que alguien haga algo. ¿Alguna vez lo has pensado? Sí, solo una manera. Y es haciendo que la otra persona quiera hacerlo. "Recuerda, no hay ninguna otra manera".

3. Cuando le muestras a alguien lo que quiere, esta persona moverá cielo y tierra para obtenerlo.

7

Una venta de $250.000 dólares en quince minutos

Después que Clayt Hunsicker me tomó aparte de los otros en Boston para enseñarme el gran secreto en el arte de las ventas, mi entusiasmo llegó a un nuevo máximo histórico. ¡Pensé que lo único que debía hacer era salir y reunirme con la suficiente cantidad de personas, y así sería fácil vender!

Durante los próximos meses, mi récord de ventas mostró una clara mejoría, pero aun así seguía encontrando mucha oposición. Y no podía entender por qué.

Entonces, en una ocasión, estando en un congreso de ventas en el Hotel Bellevue-Stratford de Filadelfia, escuché a uno de los mejores vendedores de los Estados Unidos revelar un excelente método que me dio la respuesta en pocas palabras. Su nombre era J. Elliott Hall y venía de Nueva York. Aunque se retiró ya hace varios años, el récord de Elliott Hall sigue destacándolo como uno de los mayores productores de todos los tiempos.

Hall habló de cómo había fracasado como vendedor y que estaba a punto de renunciar cuando descubrió la razón por la cual no estaba teniendo éxito. Dijo que había estado haciendo demasiadas "afirmaciones".

Esto me pareció tonto.

Pero luego electrizó a ese gran público permitiendo que los asistentes lanzaran abiertamente sus objeciones y respuestas. Dos mil vendedores comenzaron a objetarlo desde todas las direcciones, diciendo que los clientes potenciales los habían estado rechazando todos los días.

La emoción fue aumentando conforme Elliott Hall fue demostrando con excelencia cómo enfrentaba esas objeciones, no con respuestas de acciones inteligentes escritas en libros sobre "cómo hacerle frente a las objeciones", sino haciendo preguntas.

Él no intentó decirles a quienes lo cuestionaban que estaban equivocados, ni demostrarles que era más inteligente que ellos. Simplemente hacía preguntas con las que ellos debían estar de acuerdo. Y seguía haciendo preguntas hasta que las respuestas conducían a una conclusión, una conclusión sólida basada en hechos.

Las profundas lecciones que aprendí de ese experto vendedor cambiaron toda mi manera de pensar. Él nunca dio la impresión de estar tratando de persuadir o influir a alguien para que pensara como él. Las preguntas de Elliott Hall tenían un solo propósito:

Ayudar a que la otra persona entendiera qué quería y luego ayudarle a decidir cómo obtenerlo.

Una de las objeciones más difíciles de superar, presentadas por el público al señor Hall, fue: "todavía no he decidido si lo voy a comprar o no".

"Mi trabajo", respondió el señor Hall, "es ayudar al cliente a tomar una decisión. En el mundo no hay una pregunta de sí o no...". Luego lo resumió todo con preguntas.

Un vendedor dijo que su mayor obstáculo era: "quiero ir a casa para pensarlo".

"Trataré de ver si podemos ayudarle a pensarlo", respondió el señor Hall. "Usted no tiene que pensarlo...". Y el señor Hall volvió a sus preguntas, para ayudar a que esa persona supiera qué es lo que quería pensar.

Aún con toda su persistencia, Elliott Hall no dio la impresión de estar discutiendo o contradiciendo a alguien. Él era muy enérgico, sin embargo, en ningún momento discutió, ni contradijo, ni dio una opinión propia fija. Su actitud no era la de "yo sé que tengo la razón y tú estás equivocado".

En mi experiencia, su método de ayudar a que las personas aclaren su mente, mediante preguntas, sigue siendo único. Nunca lo olvidaré a él ni la esencia de lo que dijo.

Ese día, mientras escuchaba estupefacto a Elliot Hall, decidí que a partir de ese momento mi mayor ambición sería tratar de cultivar este gran arte que él había dominado con tanta maestría: el arte de hacer preguntas.

Pocos días después de la conferencia del señor Hall, un amigo me llamó por teléfono para decirme que un gran fabricante de Nueva York estaba buscando comprar un seguro de vida por $250.000 dólares. Él quería saber si yo estaba interesado en presentar una propuesta. Esta empresa estaba pidiendo un préstamo de $250.000 dólares, y los prestamistas insistían en que el presidente de la compañía debía tener un seguro de vida por ese valor. Unas diez grandes empresas de Nueva York ya habían presentado elaboradas propuestas.

"Claro que estoy interesado en presentar una propuesta", le dije, "si puedes, organiza una cita para mí".

Más tarde ese día, mi amigo volvió a llamarme y me dijo que había logrado organizar una entrevista para la mañana siguiente, a las 10:45. Esto fue lo que sucedió:

En primer lugar, me quedé sentado en mi escritorio pensando qué hacer. La conferencia de Elliott Hall todavía estaba fresca en mi mente. Decidí preparar una serie de preguntas. Durante media hora mi mente estuvo corriendo en círculos. Luego empezaron a surgir algunas preguntas que podían ayudar a que este hombre aclarara sus ideas y le ayudaran a tomar una decisión. Eso me tomó casi dos horas. Al final, tenía catorce preguntas escritas al azar, así que las reorganicé en una secuencia más lógica.

A la mañana siguiente, en el tren rumbo a Nueva York, repasé las preguntas una y otra vez. Para cuando llegué a la estación Pennsylvania, estaba tan emocionado que casi no podía esperar a la entrevista. Para reforzar mi confianza, decidí tomar un gran riesgo. Llamé a uno de los mejores médicos de Nueva York y acordé una cita para mi cliente potencial en la oficina del médico a las 11:30 a.m.

Al llegar a la oficina de mi cliente, su secretaria me recibió. Ella abrió la puerta del presidente y la oí decir: "señor Booth, el señor Bettger, de Filadelfia, quiere verlo. Dice que tiene una cita con usted para las 10:45".

Booth: ah, sí. Hágalo pasar.

Yo: ¡señor Booth!

Booth: ¿cómo se encuentra, señor Bettger? Tome asiento (el señor Booth esperó a que yo hablara, pero yo lo esperé a él). Señor Bettger, me temo que está perdiendo su tiempo.

Yo: ¿por qué?

Booth (señalando la cantidad de propuestas e ilustraciones que tenía sobre su escritorio): las principales empresas de New York me han presentado sus propuestas, tres de las cuales vienen de amigos míos, uno de ellos es un amigo personal muy cercano, juego golf con él todos los sábados y domingos. Él trabaja con New York Life, esa es una muy buena compañía, ¿verdad?

Yo: ¡nada mejor en el mundo!

Booth: bueno, señor Bettger, dadas las circunstancias, si usted todavía desea presentarme una propuesta, puede organizar las cifras para un seguro de vida ordinario por $250.000 dólares, para alguien de mi edad, 46 años, y enviármela por correo. La pondré junto con estas otras propuestas y espero tomar una decisión en algún momento durante las próximas dos semanas. Si su plan es el más barato y el mejor, obtendrá el negocio. Pero creo que usted simplemente está desperdiciando su tiempo y el mío.

Yo: señor Booth, si usted fuera mi hermano, le diría lo siguiente.

Booth: ¿qué?

Yo: conociendo lo que conozco acerca de la industria de seguros, si usted fuera mi hermano, le diría que tomara todas esas propuestas y las lanzara de inmediato a ese cesto de basura.

Booth (evidentemente sorprendido): ¿por qué diría eso?

Yo: bueno, en primer lugar, hay que ser un actuario para interpretar adecuadamente esas propuestas y se necesitan siete años para llegar a serlo. Pero así usted pudiera elegir la propuesta más económica hoy, dentro de cinco años esa misma compañía podría ser una de las empresas más caras de este grupo. Eso es historia. Francamente, las empresas que ha seleccionado son las mejores del mundo. Usted podría tomar todas esas propuestas, extenderlas sobre su escritorio, cerrar los ojos, y la que señale tendría las mismas probabilidades de ser la empresa más económica que si hiciera una cuidadosa elección después de semanas de deliberación. Ahora, señor Booth, mi trabajo es ayudarlo a llegar a una decisión final.

Para esto, debo hacerle algunas preguntas. ¿Está bien?

Booth: seguro. Adelante.

Yo: según tengo entendido, su empresa está próxima a recibir una extensión de crédito por un cuarto de millón de dólares. Parte del acuerdo exige que su vida debe estar asegurada por $250.000, y las pólizas deben estar asignadas a sus prestamistas. ¿Correcto?

Booth: sí, correcto.

Yo: en otras palabras, ellos confían en usted, si usted vive; pero en caso de que muera, no tienen la misma confianza en su empresa. ¿No es así, señor Booth?

Booth: sí, supongo que así es.

Yo: ¿entonces por qué no es de suma importancia, de hecho, es lo único importante, que usted obtenga este seguro de inmediato y le transfiera ese riesgo a las compañías de seguros? Supongamos que esta noche se despierta y de repente recuerda que el seguro de incendios de su gran planta en Connecticut expiró ayer. ¿Por qué no podría volver a conciliar el sueño el resto de la noche? Y lo primero que haría a la mañana siguiente sería llamar a su agente y decirle que lo asegure de inmediato, ¿verdad?

Booth: claro que sí.

Yo: bueno, sus prestamistas ven este seguro de vida con la misma importancia con la que usted ve el seguro de incendios para su planta. ¿Si algo sucede y usted no puede obtener este seguro de vida, sus acreedores podrían reducir o incluso negar por completo la aprobación del préstamo?

Booth: ah, no lo sé, pero supongo que es muy probable.

Yo: y si usted no logra obtener ese crédito, ¿habría la posibilidad de que esto le representara miles y miles de dólares? ¿Podría esto hacer la diferencia entre pérdidas y utilidades para su empresa este año?

Booth: ¿a qué se refiere con eso?

Yo: esta mañana tengo separada una cita para usted a las 11:30 con el doctor Carlyle, uno de los principales médicos forenses de la ciudad de Nueva York. Casi todas las empresas de seguros de vida reconocen sus valoraciones médicas. Él es el único médico que conozco cuyo examen es bueno para asegurar la vida de una persona por $250.000. En su consultorio de la avenida Broadway con 150, él tiene el electrocardiógrafo, el fluoroscopio y todos los demás equipos necesarios para el examen que usted necesita.

Booth: ¿acaso estos otros corredores de seguros no pueden hacer lo mismo por mí?

Yo: esta mañana no, ¡no pueden! Señor Booth, reconociendo la gran importancia que tiene el hacerse este examen de inmediato, supongamos que usted debe llamar a uno de estos corredores de seguros de vida hoy en la tarde para decirle que proceda de inmediato. Lo primero que esta persona haría sería llamar a uno de sus amigos, un examinador regular, y tratar de hacer que venga aquí a su oficina hoy en la tarde para hacer el primer examen. Si él médico enviara sus resultados hoy en la noche, mañana por la mañana, en las oficinas centrales de esa empresa en particular, uno de sus directores médicos se sentaría en su escritorio a estudiar el informe. Si decidiera que usted es un riesgo de un cuarto de un millón de dólares, entonces autorizaría un segundo examen por parte de otro médico que tuviera el equipo necesario. Todo esto significa más demora. ¿Por qué habría de correr este riesgo durante otra semana o incluso durante un día más?

Booth: oh, creo que voy a vivir mucho tiempo.

Yo: suponga que usted mañana se despierta con dolor de garganta y le toca quedarse en cama durante una semana debido a un resfriado. Luego, cuando ya se haya recuperado como para hacerse este difícil examen médico, la compañía de seguros le diría: "ahora, señor Booth, creemos que usted va a volver a estar bien, pero debido a su reciente enfermedad ha desarrollado una pequeña condición médica y debemos posponer la toma de la decisión por tres o cuatro meses hasta definir si es temporal o algo permanente". Así usted tendría que decirles a sus prestamistas que la decisión final ha sido pospuesta. ¿No sería probable que ellos también pospondrían la extensión de su préstamo? ¿Señor Booth, no cree que eso puede ser posible?

Booth: sí, por supuesto que es una posibilidad.

Yo (mirando el reloj): señor Booth, ya son las once y diez. Si salimos de aquí inmediatamente, podremos llegar a cumplir la cita con el doctor Carlyle en su oficina a las once y treinta. Al parecer usted nunca se ha sentido mejor en la vida. Si por dentro está tan bien como se ve en el exterior, podría tener activado su seguro de vida en 48 horas. Usted se siente bien esta mañana, ¿verdad, señor Booth?

Booth: sí, me siento muy bien.

Yo: entonces ¿por qué no considera que este examen es lo más importante en el mundo de lo cual debe ocuparse en este momento?

Booth: señor Bettger, ¿a quién representa?

Yo: ¡lo represento a usted!

Booth (inclinó la cabeza pensativamente. Encendió un cigarrillo y, después de unos momentos, tomándose su tiempo, se levantó de su escritorio, miró hacia afuera por la ventana al pasar frente a ella, se dirigió hacia el perchero, tomó el sombrero, me miró y dijo): ¡vamos!

Tomamos el metro de la Sexta Avenida para ir al consultorio del médico. Después de completar satisfactoriamente el examen, el señor Booth de repente parecía ser mi amigo. Insistió en invitarme a almorzar. Cuando comenzamos a comer, él me miró y se echó a reír. "Por cierto", preguntó, "¿a qué empresa representa?".

máquinas breves

8

Análisis de los principios básicos utilizados para hacer esa venta

Analicemos esa venta. Ya sé lo que estás pensando. Estarás diciendo: "¿cómo puedo usar esa técnica? Puede funcionar para ti. Sirvió para vender un seguro, pero ¿cómo puedo usarla?". Bueno, puedes utilizar esta misma técnica para vender zapatos, barcos y lacas, y así es como puedes hacerlo:

1. Haz citas

¡Haz que estén esperando tu llegada! Logras una gran ventaja cuando haces una cita. Esto le comunica a la otra persona que aprecias el valor de su tiempo e, inconscientemente, le da más importancia al valor de tu tiempo. Si hubiera ido a New York, nunca habría tenido la oportunidad de encontrarme con este ocupado ejecutivo sin una cita.

2. Prepárate

¿Qué harías si te invitaran a hablar en una reunión conjunta de las Cámaras de comercio júnior y sénior, y a todos los otros clubes de servicio de tu comunidad, y te ofrecieran un pago de $100 dólares por hacerlo? Pasarías muchas horas preparándote, ¿verdad? Dedicarías tus noches para planear exactamente como abrir tu charla, los puntos que quisieras cubrir y tu conclusión. Lo tratarías como todo un evento, ¿cierto? ¿Por qué? Porque tu audiencia sería de trescientas, cuatrocientas o más personas. Bueno, no olvides que no hay diferencia entre un público de cuatrocientas personas y otro de una. Y esto puede significar más de $100 dólares para ti. Durante varios años, esto puede equivaler a varios cientos de dólares para ti. Entonces, ¿por qué no tratar cada entrevista como todo un evento?

Después que recibí esa llamada telefónica de mi amigo diciéndome que había concertado una cita para la mañana siguiente, me senté en mi escritorio durante unos treinta minutos, preguntándome lo que le iba a decir a este hombre. Nada de lo que podía pensar me resultaba atractivo. "Bueno", pensé, "estoy cansado. Lo haré mañana por la mañana en el tren".

Entonces una pequeña voz me susurró al oído: "mañana por la mañana, ¡nada! ¡Tienes que hacerlo ahora mismo! Ya sabes que te falta mucha confianza cuando no vas preparado. Este hombre aceptó una cita contigo, Bettger. ¡Prepárate! ¡Y ve con una actitud ganadora!".

Después de un rato, esta pregunta vino a mi mente: "¿cuál es tema principal?". No era difícil de contestar. Crédito. Este fabricante necesita el crédito aprobado. Sus prestamistas insisten en un seguro de vida para él. Él está corriendo un gran riesgo con día y hora que se tarde en actuar para poder obtener este seguro. El costo neto del seguro en realidad no es importante para nada.

Esta pequeña y sencilla idea ha demostrado ser una constante ayuda para mí al prepararme para una entrevista o un discurso. Empiezo bien si primero me hago esta pregunta:

3. ¿Cuál es tema principal?

O, ¿cuál es el principal punto de interés?

O, ¿cuál es punto más vulnerable?

Esto fue decisivo para que yo ganara ese negocio al estar compitiendo con otras diez grandes empresas.

Mira lo que el señor Booth me dijo mientras almorzábamos ese día:

Supongo que algunos de mis amigos van a quedar impactados. Pero me han estado presionando durante semanas, empujándose unos a otros y tratando de mostrarme qué tan barato puede ser su plan. Usted no conocía a nadie, pero me hizo ver el riesgo que estaba corriendo por la espera". Luego, sonriendo dijo: "de hecho me aterró pensar en la posibilidad de perder ese crédito. Concluí que sería una estupidez si incluso salía a almorzar antes de hacerme ese examen.

Con esa venta aprendí una gran lección: nunca trates de tocar demasiados puntos, no opaques el tema principal. Identifícalo y luego mantente en el mismo.

4. Notas clave

Son muy pocas las personas que pueden ir a una entrevista, una conferencia o, incluso, hacer una importante llamada telefónica y...

(a) Recordar los temas que quiere tocar

(b) Abordarlos en orden lógico

(c) Ser breve y permanecer en el punto principal

Si no tomo notas primero, estoy corriendo un gran riesgo de fallar. Al prepararme para la entrevista con Booth, tomé notas de palabras clave. En mi camino hacia New York en el tren, revisé esas notas una y otra vez, hasta que supe exactamente lo que iba a decir y cómo. Eso me dio confianza. No tuve que revisar mis notas ni una sola vez durante la entrevista. Sin embargo, si no recuerdo algo cuando me entrevisto con alguien, no dudo en sacar mi tarjeta de notas clave.

5. Haz preguntas

De las catorce preguntas que había preparado el día anterior, en realidad use once. De hecho, toda la entrevista de quince minutos consistió primordialmente en preguntas y respuestas. La importancia de hacer preguntas es un tema tan vital y ha sido un factor tan trascendental en el éxito que he tenido como vendedor que voy a dedicar todo el siguiente capítulo al mismo.

6. ¡Explota la dinamita!

Haz algo sorprendente. A menudo es necesario para despertar a las personas e impulsarlas a la acción por su propio bien. Sin embargo, es mejor no hacerlo a menos que estés preparado para respaldar la explosión con hechos comprobables en lugar de opiniones.

Le dije al señor Booth: "conociendo lo que conozco acerca de la industria de seguros, si usted fuera mi hermano, ¡le diría que tomara todas esas propuestas y las lanzara de inmediato a ese cesto de basura!".

7. Despierta temor

Básicamente, solo hay dos elementos que mueven a alguien a la acción: el deseo de ganar y el miedo a perder. Los publicistas nos dicen que el miedo es el factor más motivador cuando hay riesgo o peligro en juego. Toda la conversación con el señor Booth estuvo basada en el miedo y el riesgo innecesario que estaba corriendo al perder $250.000 dólares de crédito.

8. Crea confianza

Si eres totalmente sincero, hay muchas formas de crear confianza con los demás. Creo que hay cuatro reglas que me ayudaron a ganarme la confianza de aquel desconocido:

(a) Ser un asesor para el comprador

Al prepararme para la entrevista, me imaginé como un empleado asalariado de la empresa del señor Booth. Asumí el papel de "asistente de compras a cargo del seguro". En este tema, mis conocimientos eran mayores a los del señor Booth. Al sentirme así, no dudé en ponerle todo el entusiasmo y la emoción que podía imprimirle a lo que decía. Esa idea me ayudó a no tener ningún miedo. La actitud del asistente de compras fue una ayuda tan clara para mí en esa venta, que con el paso de los años he seguido jugando ese papel. Animo a cualquier joven vendedor o a quienes traten con otras personas a que se conviertan en asistentes de compras. A nadie le gusta que le vendan. Pero a todos nos gusta comprar.

(b) "Si usted fuera mi hermano, le diría lo siguiente..."

Este es un gran generador de confianza si lo puedes utilizar con total sinceridad. Estas fueron casi las primeras palabras que le dije al señor Booth. Lo miré directo a los ojos y le hablé con franqueza. Luego esperé a que él dijera algo. Él hizo la pregunta que la mayoría de clientes potenciales harían: "¿qué?".

(c) Elogia a tus competidores

"Si no puedes presumir, no denigres". Esa siempre será una regla segura. He encontrado que es uno de los aspectos que generan confianza con mayor rapidez. Trata de decir algo bueno sobre los demás colegas. Cuando el señor Booth habló de un amigo que trabajaba con New York Life, él dijo:

"esa es una muy buena compañía, ¿verdad?". Yo respondí rápidamente: "¡nada mejor en el mundo!". Y luego volví pronto a mis preguntas.

(d) "Esta mañana estoy en posición de hacer algo por usted algo que ninguna otra persona viva podría".

Una gran frase de ventas. Cuando encaja adecuadamente, tiene un efecto sorprendente. Permíteme dar un ejemplo:

Cuando Dale Carnegie y yo nos disponíamos a abordar el tren una noche en Des Moines, Iowa, Russell Levine, miembro de la Cámara de comercio júnior, la cual patrocinaba nuestra escuela, llegó a la estación para despedirse. Rusell dijo: "ayer vendí todo un vagón de petróleo con una de nuestras frases". Yo le dije: "cuénteme más al respecto".

Russell dijo que el día anterior había contactado a un cliente y le había dicho: "esta mañana estoy en capacidad de hacer algo por usted que ninguna otra persona viva podría".

"¿Qué sería?", preguntó el cliente sorprendido.

"Puedo entregarle un vagón de carga lleno de petróleo", dijo Russell.

"No", dijo el cliente.

"¿Por qué no?", preguntó Rusell:

"No tendría dónde ponerlo", respondió el hombre.

"Señor D.", dijo Rusell, "si usted fuera mi hermano, le diría algo".

"¿Qué cosa?" preguntó el cliente.

"Tome ahora esta carga de petróleo. Se aproxima un tiempo de escasez y más adelante usted no podrá obtener lo que necesita. También va a haber un gran aumento en el precio".

"No", repitió el hombre, "aquí no tengo espacio".

"Alquile un lugar de almacenamiento", sugirió Russell.

"No," respondió el cliente, "voy a tener que dejarlo pasar".

Más tarde ese mismo día, cuando Russell volvió a su oficina, tenía un mensaje informándole que llamara a ese cliente. Cuando Russell lo contactó por teléfono, él le dijo: "Russell, he alquilado un viejo garaje donde puedo almacenar el petróleo, ¡así que me ha vendido el vagón lleno!".

9. Expresar un reconocimiento honesto por las capacidades de tu oyente

A todo nos gusta sentirnos importantes. Los seres humanos viven deseosos de ser elogiados.

Las personas desean escuchar palabras sinceras de aprecio. Pero no tenemos que exagerar. Es mucho más efectivo ser conservador al respecto. Sé que a este exitoso hombre de negocios le agradó que le hubiera dicho: "ellos confían en usted, si usted vive; pero en caso de que muera, no tienen la misma confianza en su empresa. ¿No es así, señor Booth?".

10. Asume un cierre

Ten una actitud ganadora. Yo aposté haciendo una cita con el doctor Carlyle antes de conocer a mi cliente potencial. Puse todas mis fichas en un ganador.

11. Ponte en la entrevista

Años después de haber empezado a aprender más acerca de principios básicos, analicé esta venta y me sorprendió descubrir que había utilizado las palabras "usted" o "suyo" 69 veces en esa corta entrevista de quince minutos. No recuerdo cuando conocí por primera vez acerca de esta prueba, pero es una muy buena forma de asegurarse de estar poniendo en práctica la regla más importante de todas:

Ver las cosas desde la perspectiva de la otra persona y hablar en términos de sus deseos, necesidades y anhelos.

¿Te gustaría hacer una prueba muy interesante y útil? Escribe lo que dijiste en tu última reunión de ventas. Luego mira cuántos puntos puedes encontrar para eliminar el pronombre personal "yo" o "nosotros" y cambiarlo por "usted" o "su". Ponte en la entrevista.

Lo ha dicho, Termine

9

¿Cómo el hacer preguntas aumentó la eficacia de mis entrevistas de ventas?

Una idea nueva a veces produce cambios rápidos y revolucionarios en la mentalidad de un hombre. Por ejemplo, poco antes de que hiciera esa venta en New York, me había fijado la meta de convertirme en un vendedor que produjera "un cuarto de millón de dólares por año". Pensaba que podía lograrlo con trabajo duro y consistente.

¡Ahora, de repente, había producido un cuarto de millón en un día! ¡Fantástico! ¿Cómo pudo ser esto posible? Tan solo una semana antes, un cuarto de millón de dólares al año parecía una cifra grande. Ahora, mi pensamiento era: "¡mi meta es un millón de dólares!".

Esos fueron algunos de los pensamientos que pasaron por mi cabeza esa noche en el tren de regreso a Filadelfia. Estaba muy emocionado. Tanto, que no pude permanecer sentado en mi silla. Caminaba de un lado para otro en el vagón. Todas las sillas estaban ocupadas pero no recuerdo haber visto a nadie. Repasé la venta una y otra vez. Cada palabra. Lo que el señor Booth había dicho. Lo que yo había dicho. Terminé sentándome y escribí toda la entrevista.

"¡Habría sido un viaje terriblemente inútil y ridículo!", pensé, "si no hubiera oído esa charla que Elliott Hall dio acerca de la importancia de hacer preguntas". La verdad es que unos días antes yo ni siquiera habría considerado ir a New York en un caso como ese.

Llegué a esta conclusión: ¡si hubiera intentado comunicar exactamente lo mismo sin haberlo hecho en forma de preguntas, me habrían expulsado después de tres minutos! Aunque dije lo que tenía que decir con toda la fuerza y emoción posibles, este exitoso fabricante en ningún momento mostró algún resentimiento. Exponerle mis ideas en forma de pregunta le mostró cómo me sentía respecto a lo que él debía hacer, pero al mismo tiempo lo mantuvo en su posición de comprador. Cada vez que presentaba una objeción o comentario, yo le devolvía de inmediato la pelota con otra pregunta. Cuando, por último, se levantó, tomó su sombrero y dijo: "¡vamos!", supe que él sentía que la idea era suya.

Unos pocos días después un amigo me dio una carta de presentación dirigida al joven presidente de una firma de ingenieros de construcción que en ese entonces se encontraban erigiendo varios proyectos importantes. Era una de las organizaciones más prometedoras en la ciudad.

Dicho presidente leyó rápidamente mi carta de presentación y dijo: "si quiere hablar de seguros, no estoy interesado. El mes pasado compré otro seguro".

Su tono era tan concluyente, que sentí que sería fatal insistir. Sin embargo, sinceramente quería conocer mejor a este hombre, así que me aventuré con una pregunta:

"Señor Allen, ¿cómo comenzó en la industria de la construcción de edificios?".

Lo escuché durante tres horas.

Por último, su secretaria entró con unos cheques que él debía firmar. Cuando ella salió, el joven ejecutivo me miró pero no dijo nada. Yo también lo miré sin decir nada.

"¿Qué quiere de mí?", preguntó.

"Quiero que responda unas preguntas", le dije.

Salí sabiendo exactamente lo que había en su mente, sus esperanzas, ambiciones, objetivos. Durante la entrevista, por un momento se detuvo y dijo: "no sé por qué le estoy diciendo todas estas cosas. Usted ahora sabe más de lo que alguna vez le haya contado a alguien, ¡ni siquiera mi esposa!".

Creo que ese día él descubrió aspectos que no conocía de sí mismo, cosas que nunca había cristalizado por completo en su propia mente.

Le agradecí la confianza y le dije que lo iba a pensar un poco y que iba a estudiar la información que él me había proporcionado. Dos semanas después, les presenté a él y a sus dos asociados, un plan para perpetuar y proteger su empresa. Era la víspera de navidad. Al salir de la oficina de esa compañía, a las cuatro de la tarde, llevaba órdenes firmadas por $100.000 dólares en un seguro de vida amparando al presidente, otro de $100.000 dólares para el vicepresidente y uno de $25.000 dólares para el tesorero.

Ese fue el comienzo de una amistad muy cercana con estos hombres. Durante los diez años siguientes, hice negocios con ellos que alcanzaron un total de tres cuartos de millón de dólares.

Y nunca sentí que les había "vendido" algo. Ellos siempre "compraron". En lugar de tratar de darles la impresión de que yo tenía todas las respuestas, algo que acostumbraba hacer antes de escuchar a J. Elliott Hall, hice que ellos me dieran las respuestas, en gran medida al hacerles preguntas.

Llevo un cuarto de siglo comprobando que esta forma de relacionarse con las personas es cien veces más efectiva que tratar de llevarlos a pensar como yo.

Cuando escuché esta idea de parte del señor Hall, pensé que él había descubierto una nueva forma de pensar. Pero, poco después, me enteré de que otro gran vendedor, justo aquí en Filadelfia, había tomado tiempo para escribir un poco acerca de este tema 150 años antes de mi encuentro con el señor Hall. Es probable que lo hayas oído nombrar. Se llamaba Benjamin Franklin.

Franklin relató que extrajo esta idea de un hombre que vivió en Atenas, Grecia, 2.200 años antes de que el mismo Ben Franklin naciera. Dicho hombre fue Sócrates. Mediante su método de preguntas, Sócrates logró algo que pocos hombres en toda historia han podido hacer: cambió la forma de pensar del mundo entero.

Me sorprendió saber que en su niñez, Franklin no podía llevarse bien con las demás personas, y se ganaba enemigos porque, según él, hacía muchas afirmaciones y trataba de dominar a los demás. Él llegó a comprender que estaba perdiendo por todos lados. Así que se interesó en estudiar el método socrático. Se deleitó desarrollando este arte y lo practicaba continuamente. Franklin escribió lo siguiente:

Creo que este hábito ha sido una gran ventaja para mí cuando he tenido la oportunidad de persuadir a alguien respecto a medidas que en ocasiones he promovido. Y como el principal objetivo es informar o ser informado, deseo que las personas bienintencionadas y sensatas no reduzcan su capacidad de hacer el bien al asumir una actitud de sabelotodos, la cual tiende a crear oposición y derrotar todos y cada uno de los argumentos de quienes nos hablan.

Franklin llegó a ser muy hábil y experto en atraer a los demás. También encontró que la siguiente era la regla más importante para lograr que los demás estuvieran preparados para sus preguntas:

Cuando alguien afirmaba algo que en mi opinión era un error, me negaba el placer de contradecirlo de inmediato y no ponía en evidencia algún absurdo en sus apreciaciones. De este modo, como respuesta, comenzaba observando que en algunos casos o circunstancias su opinión sería la correcta, pero en el caso presente me parecía diferente, etc. Pronto comprendí la ventaja de este cambio en mi manera de proceder: la conversación que surgía era más grata. La forma modesta en la que proponía mis opiniones hacía que la otra persona estuviera más dispuesta a aceptarlas y no contradecirlas. Era menos molesto cuando yo estaba equivocado y también lograba convencer con más facilidad a los demás de que renunciaran a sus errores y se unieran a mí cuando yo tenía la razón.

Este procedimiento me pareció tan práctico y sencillo que empecé a probarlo en las ventas. Y funcionó de inmediato. Simplemente parafraseaba las palabras de Franklin lo mejor que podía para adaptarlas a la ocasión.

Me ruborizo cuando pienso en lo que solía decir: "no estoy de acuerdo contigo en eso porque..."

El hábito de "¿no crees?" es una pequeña ayuda que, a mi parecer, me ayuda a evitar hacer tantas afirmaciones. Por ejemplo, si te digo: "debemos evitar hacer tantas afirmaciones. Deberíamos hacer más preguntas". Lo que he hecho es simplemente declarar opinión. Pero si te digo: "¿no crees que deberíamos evitar hacer tantas afirmaciones? ¿No sientes que deberíamos hacer más preguntas?", no solo estoy mostrándote cómo me siento, sino que también te hago sentir bien al pedir tu opinión. Es probable que tu interlocutor tenga diez veces más entusiasmo si cree que la idea es suya. Con una pregunta puedes lograr dos cosas:

1. Hacer que la otra persona sepa lo que piensas

2. Y, al mismo tiempo, le haces un cumplido al pedir su opinión

En una ocasión, un famoso educador me dijo lo siguiente: "uno de los mejores beneficios que obtienes de la educación universitaria es una actitud de cuestionamiento, el hábito de exigir y evaluar las evidencias... un método científico".

Bueno, nunca tuve la oportunidad de estudiar en la universidad, pero sé que una de las mejores formas de hacer que los demás piensen es planteando preguntas. Preguntas pertinentes. De hecho, ¡en muchos casos he encontrado que es la única forma de hacerlos pensar!

Seis cosas que puedes obtener mediante el método de las preguntas

1. Te ayuda a evitar discusiones

2. Te ayuda a evitar hablar demasiado

3. Te capacita para ayudar a que la otra persona entienda qué es lo que quiere. Así puedes ayudarle a decidir cómo obtenerlo.

4. Ayuda a aclarar el pensamiento de la otra persona. La idea se convierte en su idea.

5. Te ayuda a encontrar el punto más vulnerable con el cuál puedes cerrar la venta, el tema clave.

6. Le da a la otra persona una sensación de importancia. Cuando demuestras que respeta la opinión de los demás, es más probable que también respeten la tuya.

"Uno de los mejores beneficios que obtienes de la educación universitaria es una actitud de cuestionamiento, el hábito de exigir y evaluar las evidencias... un método científico".

10

Cómo aprendí a encontrar la razón más importante por la cual alguien debía hacer una compra

Había una historia que solía contarse acerca de un hombre grande y fuerte, en un club nocturno de New York, que ofrecía permitir que cualquier persona del público lo golpeara en el estómago tan duro como pudiera. Se decía que varios hombres lo intentaron, incluyendo a Jack Dempsey, pero que los golpes parecían no afectar a este hombre fuerte. Una noche, en la parte atrás del público, se encontraba un hombre sueco grande y muy fuerte que no podía entender ni una palabra en inglés. Alguien dijo que él podría dar un golpe fuerte. El maestro de ceremonias se acercó y finalmente, por señas, le hizo entender al sueco que querían que pasara adelante y golpeara al hombre fuerte. El sueco pasó adelante, se quitó la chaqueta y se arremangó la camisa. El hombre fuerte se preparó para el golpe tomando aire e hinchando el pecho. El sueco lanzó su golpe en gancho, pero en lugar de golpearlo en el estómago, dio un golpe con su mano derecha en la mandíbula del hombre fuerte, noqueándolo.

Como no había entendido lo que se suponía que debía hacer, este sueco grandote, sin saberlo, aplicó una de las principales reglas del arte de las ventas. Identificó el punto más vulnerable y se concentró en ese punto, el tema clave.

El cliente potencial no siempre se da cuenta de cuál es su necesidad vital. Tomemos el ejemplo del señor Booth, el fabricante de seda en New York. Él pensaba que el punto clave era dónde podía obtener un seguro al menor precio. Él iba a llegar hasta el fondo del asunto. Día y noche tenía vendedores de seguros detrás de él. Era como todo el mundo golpeando al hombre fuerte en el estómago.

Pero yo entendí que, al hacerle preguntas a este empresario, hice que dejara de pensar en lo que él creía que era el verdadero problema y lo encaminé a ver qué era lo más importante.

Recuerdo que la primera lectura que me hizo parar y pensar en la importancia de encontrar el punto clave fue algo dicho por Lincoln: "gran parte de mi éxito como abogado litigante radica en el hecho de que siempre estaba dispuesto a concederle seis puntos al abogado opositor con el fin de yo ganar el séptimo, si el séptimo era el más importante".

El juicio del ferrocarril de Rock Island, al que nos referiremos más adelante, es un excelente ejemplo de cómo Lincoln aplicó esta regla. En la jornada de cierre del juicio, el abogado opositor tomó dos horas para resumir el caso. Lincoln podría haber tomado tiempo para refutar varios puntos expuestos por su oponente. Pero en lugar de correr el riesgo de confundir al jurado, Lincoln renunció a todo menos una cosa: el punto clave. Eso le tomo menos de un minuto. Pero con esto ganó el caso.

He hablado con miles de vendedores y veo que muchos de ellos no prestan ninguna atención al punto clave. Ah sí, sí han leído al respecto. ¿Pero cuál es el punto principal? Vamos a simplificarlo. ¿Acaso no es precisamente lo siguiente?:

¿Cuál es la necesidad básica? O ¿Cuál es punto de mayor interés, el más vulnerable?

¿Cómo puedes llegar al punto clave? Anima a tu cliente potencial a hablar. No lograrás vender nada si tan pronto como alguien te dé cuatro o cinco razones por las que no va a comprar, tú tratas de refutar cada una de ellas.

Si logras hacer que siga hablando, entonces esta persona ayudará a que le vendas. ¿Por qué? Porque de estas cuatro o cinco razones escogerá la más importante y se aferrará a ella. A veces ni siquiera es necesario decir una palabra. Cuando haya terminado vuelve a ese punto. Por lo general, ese es el verdadero.

Hace algunos años asistí a una convención nacional de ventas en Pittsburgh. William G. Poder, ejecutivo de relaciones públicas de la Chevrolet Motor Company, relató la siguiente historia: "estaba a punto de comprar una casa en Detroit. Así que llamé a un corredor de bienes raíces. Él era uno de los mejores vendedores que jamás haya conocido. Me escuchó hablar y después de un rato se enteró que toda mi vida yo había querido tener un árbol. Me llevó en su auto a un sitio que quedaba como a doce millas de Detroit, luego me condujo al patio trasero de una casa en una zona bien arbolada y me dijo: 'vea esos magníficos árboles, ¡son dieciocho en total!'.

Miré a esos árboles, los admiré y le pregunté el precio de la casa. Él dijo: 'X dólares'. Y yo le dije: 'tome su lápiz y haga cuentas'. Él no estaba dispuesto a rebajarle ni un centavo al precio. '¿De qué está hablando?', le dije. 'Puedo comprar una casa como esta así por menos dinero'. Él dijo: 'si puede, es más poder para usted, pero mire los árboles y uno... dos... tres... cuatro...".

Cada vez que yo hablaba del precio, él contaba los árboles. Él me vendió los dieciocho árboles... ¡y también incluyó la casa!

Eso es el arte de vender. Él escuchó hasta que encontró qué era lo que yo quería y luego me lo vendió".

He hecho muchas ventas con solo dejar que el cliente me lleve "por las ramas", y he tratado de darles respuesta a todo, para luego recibir una llamada y escucharle decir: "por ahora no voy a hacer nada". Poco a poco, por ensayo y error, he encontrado que lo que hay que hacer es estar de acuerdo con todo lo que dice hasta identificar cuál es la verdadera razón por la que no está haciendo la compra.

Muchos clientes potenciales tratan de desorientarte. En los próximos dos capítulos te mostraré cómo utilizo dos pequeñas y sencillas preguntas para determinar si una objeción es real, y un método que he encontrado muy eficaz para sacar a la luz los motivos ocultos.

Resumen

El principal problema en las ventas es:

1. Identificar la necesidad básica o

2. El punto de mayor interés

3. ¡Y luego adherirse a ellos!

11

La frase más importante que he encontrado en el arte de las ventas solo tiene dos palabras

En mi opinión, la frase más poderosa del idioma inglés es "por qué", pero tuve que tropezar tontamente durante muchos años para averiguarlo. Antes de aprender la importancia de esta pequeña frase, cada vez que alguien presentaba una objeción, yo de inmediato discutía su punto de vista.

Pero llegué a apreciar el poder milagroso de esta frase un día, cuando un amigo me contactó por teléfono y me invitó a almorzar. El nombre de mi amigo es James C. Walker, él es el presidente y principal propietario de Gibson-Walker Lumber Company, en las calles F con Luzerne Streets, en Filadelfia. Después de ordenar nuestro almuerzo, Jim dijo: "Frank, te diré por qué quería verte. Hace poco fui a Skyland, Virginia, a una fiesta de despedida de soltero con un grupo de amigos. La pasamos muy bien. Todos pasamos la noche en catres en una cabaña grande de una sola habitación. Bueno, ya sabrás lo que pasó la primera noche. En lugar de dormirnos de inmediato, empezamos a conversar entre todos. Todos se fueron quedando dormidos uno tras otro, hasta que me quedé hablando solo. Cada vez que dejaba de hablar, mi amigo del al lado me decía: '¿por qué, Jim? ¿Por qué?' Y, como un tonto, seguí hablando y dando más detalles hasta que lo escuché roncar. ¡Luego me di cuenta que él estaba tratando de ver durante cuánto tiempo yo podía hablar!".

Los dos soltamos una gran carcajada.

"Justo en ese momento", continuó Jim, "de repente comprendí que así mismo había sido comprado mi primer seguro de vida. No sé si sabías lo que estabas haciendo o no, Frank, pero la primera vez que me llamaste, te dije que te iba a decir lo mismo que le decía a todos los otros vendedores de seguros que venían a verme: 'No creo en los seguros de vida'.

En lugar de involucrarte en una larga discusión, como solían hacer los demás vendedores, tú te limitaste a preguntar, '¿por qué?' Cuando te expliqué por qué, me animaste a continuar al seguir preguntando: '¿por qué, señor Walker?'. Cuanto más hablaba, más me daba cuenta de que estaba en el lado equivocado de la discusión. Terminé convenciéndome a mí mismo de que estaba equivocado. Tú me no hiciste una venta. Fui yo quien vendió. Pero nunca supe cómo había sucedido eso hasta aquella noche en la hablé demasiado estando en Skyland.

Ahora, Frank, este es el punto de la historia: desde mi regreso, sentado en mi oficina, he vendido más madera por teléfono de la que nunca antes, solo por preguntar 'por qué'. Por esto quería hacértelo saber, en caso de que todavía no supieras cómo fue que me vendiste mi primera póliza de seguros".

Jim Walker es uno de los madereros más exitosos de Filadelfia y un hombre muy ocupado. Siempre he estado agradecido con él por haber tomado tiempo para ayudarme a entenderlo, ya que nunca antes había visto el poder de la pequeña frase "por qué".

Me sorprende que haya tantos vendedores con miedo de usarlo.

Hace unos años conté esta historia en nuestras conferencias, y vendedores y profesionales de diversas industrias de todo el país me dijeron cómo habían comenzado a usar el "por qué" al día siguiente y cómo les había ayudado. Tomemos un ejemplo. Una noche en Tampa, Florida, un agente de ventas de maquinaria se puso en pie en nuestra clase y dijo: "anoche, cuando escuché al señor Bettger hablar sobre el 'por qué', pensé que me daría miedo usarlo. Pero esta mañana un hombre entró a nuestra oficina y preguntó cuál era el precio de una máquina grande. Le dije que costaba de $27.000. Él dijo: 'eso es demasiado dinero para mí'. Yo le dije: '¿por qué?'. 'Porque', dijo él, 'nunca se pagará por sí misma'. '¿Por qué?' Volví a preguntar. '¿Usted cree que sí lo pagaría?', preguntó él con franqueza. '¿Por qué no? Ha sido una maravillosa inversión para todos los que la han comprado', le respondí. 'Yo no podía pagarla', dijo. '¿Por qué?', pregunté. Cada vez que él presentaba una objeción, yo le preguntaba 'por qué'. Y él me daba sus razones. Y yo le permitía hablar. Él habló lo suficiente hasta que se dio cuenta que sus razones no encajaban, así que compró la máquina. Esa ha sido una de las ventas más rápidas que jamás haya hecho. Pero sé que no la habría hecho si le hubiera dado mi acostumbrada y extensa conversación de ventas".

Escucha esto: el fallecido Milton S. Hershey, quien solía vender dulces en un carrito por las calles y que luego llegó a ganar millones de dólares vendiendo barras de chocolate, ¡pensaba que el 'por qué' era tan importante, que decidió dedicarle su vida! Suena fantástico, ¿verdad? Bueno, así es como sucedió. Milton S. Hershey tuvo tres fracasos antes de cumplir cuarenta años. "¿Por qué?", se preguntó. "¿Por qué es que unas personas tienen éxito y otras fracasan?" Al someterse a una extensa evaluación, redujo la respuesta a una sola razón: "yo estaba avanzando sin conocer todos los elementos". Desde aquel día hasta el día su muerte a los 88 años, dedicó toda su vida a la filosofía de preguntar "¿por qué?" Si alguien le decía: "no se puede hacer, señor Hershey", él decía, "¿por qué? ¿Por qué no?". Y seguía preguntando por qué hasta que entendía todas las razones. Luego decía: "ahora uno de nosotros debe obtener la respuesta".

¡Bien! ¿Acaso no es eso exactamente lo que J. Elliott Hall de New York descubrió que andaba mal con su actividad de ventas? Él había estado tratando de avanzar sin conocer todos los elementos. Eso es parte de la gran lección que aprendí de él.

En el siguiente capítulo, he utilizado dos entrevistas reales para ilustrar cómo el "por qué" me ayudó a conocer todos los factores. Además, muestro cómo usarlo en relación con otra pequeña y común frase que produce resultados igual de sorprendentes.

12

Cómo encuentro la objeción oculta

Una vez, llegué a tener registro de más de cinco mil entrevistas para tratar de averiguar por qué las personas compraban o no lo hacían. En el 62 por ciento de los casos, la primera objeción en contra de la compra no era la verdadera razón. Encontré que solo el 38 por ciento de las veces el cliente potencial me daba la verdadera razón para no comprar.

¿A qué se debe eso? ¿Por qué las personas, que en su gran mayoría son perfectamente honestas en todo lo demás, engañan y tergiversan los hechos ante los vendedores? Lograr entender esto me tomó un largo tiempo.

El ya fallecido J. Pierpont Morgan, Sr., uno de los hombres de negocios más astutos de toda la historia, dijo en una ocasión: "por lo general, una persona tiene dos razones para hacer algo: una que suena bien y otra que es verdad". Sin duda, el llevar esos registros durante varios años me demostró la verdad de esta afirmación. Así que comencé a experimentar para encontrar alguna forma de determinar si la razón expuesta era real o una que simplemente sonaba bien. Con el tiempo, encontré una pequeña y sencilla frase que produjo sorprendentes resultados y que literalmente me ha representado miles de dólares. Es una frase cotidiana. Y por eso es buena. La frase es esta: "además de eso...". Permíteme ilustrar cómo la uso.

Durante varios años había estado tratando de venderle seguros a una empresa grande que fabricaba alfombras que pertenecía y era administrada por tres hombres. Dos de ellos aprobaban la idea, pero el tercero se oponía. Era anciano y un poco sordo. Cada vez que hablaba con él sobre el asunto, su problema de audición de repente se acentuaba y no podía entender ni una de mis palabras.

Una mañana, durante el desayuno, en el periódico leí un anuncio que informaba acerca de su repentina muerte.

Naturalmente, lo primero que pensé después de leer el anuncio fue: "¡ya tengo una venta segura!".

Varios días después, contacté al presidente de la compañía y acordé una cita. Ya antes había hecho negocios importantes con él. Cuando llegué a la planta y me llevaron hasta su oficina, vi que él no se veía tan amable como antes.

Me senté. Él me miró. Yo lo miré. Y finalmente dijo: "supongo que ha venido para hablar con nosotros acerca de ese negocio de seguros, ¿no es así?".

Yo solo sonreí con una gran y amplia sonrisa.

Pero él no sonrió ni un poco. "Bueno", dijo, "no planeamos hacer nada al respecto".

"¿Podría decirme por qué, Bob?".

"Porque", explicó, "estamos perdiendo dinero. Estamos en rojo y así ha sido durante todo el año. Tomar ese seguro nos costaría alrededor de ocho o diez mil dólares al año, ¿correcto?".

"Sí", dije estando de acuerdo.

"Bueno, ya tomamos una decisión", prosiguió, "no vamos a gastar más dinero del que sea absolutamente necesario durante el mayor tiempo que podamos".

Después de unos segundos de silencio, le dije: "Bob, además de eso, ¿hay algo más en su mente? ¿No hay alguna otra razón por la cual están dudando en proseguir con este plan?".

Bob (una pequeña sonrisa empezó a asomarse en su boca): bueno, sí, hay algo más.

Yo: ¿podría decirme qué es?".

Bob: son mis dos hijos. Terminaron la universidad y ahora están trabajando aquí. ¡Todos los días trabajan en la fábrica de ocho a cinco y les encanta! ¿No crees que sería tonto seguir un plan que vendería mis intereses en esta empresa si yo llegara a morir? ¿Dónde quedarían mis hijos ante eso? Los podrían despedir, ¿no es cierto?

Ahí estaba: la primera objeción era una que sonaba bien. Ahora sabía cuál era la verdadera razón y tenía una oportunidad. Pude indicarle que para él era aún más importante hacer algo ahora. Organizamos un plan que incluía a sus hijos y que aseguraba por completo la situación de cada uno de ellos sin importar quién moría primero o cuándo.

Esa venta me representó $3.860.

Ahora, ¿por qué hice esta pregunta, porque dudaba de su palabra? No, en absoluto. Su primera objeción era lógica y real, no tenía ninguna razón para dudar de su palabra. De hecho, le creí. Sin embargo, mis años de experiencia me habían enseñado que las probabilidades eran dos a una de que había algo más. Mis registros así lo demostraban. Así que me acostumbré a hacer esta pregunta, como si fuera un examen de rutina. No recuerdo que alguien alguna vez se hubiera enfadado conmigo por hacer esa pregunta.

¿Qué hago cuando la objeción dada resulta ser la verdadera razón? Déjame dar un ejemplo. Un día, me encontraba almorzando con dos amigos en el Union League de Filadelfia, Neale MacNeill, Jr., gerente de ventas de Sandoz Chemical Company en Philadelphia, y Frank R. Davis, corredor de bienes raíces en Filadelfia. Neal dijo: "Frank y yo tenemos un muy buen cliente potencial para ti. Don Lindsay estuvo hablando con nosotros ayer respecto a la compra de un seguro. Él está ganando mucho dinero y podrías hacerle una venta de alrededor de cincuenta o cien mil dólares, ¿no es cierto, Frank?".

Frank Davis parecía muy entusiasmado con el cliente potencial. Me aconsejó que lo buscara directamente a la mañana siguiente y me dijo: "asegúrate de decirle a Don que Neale y yo te enviamos".

A las diez en punto del día siguiente, entré en la fábrica del señor Lindsay en la calle 54 con avenida Paschall, en Filadelfia. Él fabrica accesorios eléctricos. Le dije a su secretaria que el señor MacNeill y el señor Davis me habían enviado a ver al señor Lindsay.

Cuando me hicieron pasar a su oficina, él se encontraba de pie en una esquina, con una expresión en su rostro que me hizo recordar el ceño de Jack Dempsey justo antes del gong de apertura.

Esperé, pero no dijo nada. Así que dije: "señor Lindsay, Neale MacNeill y Frank Davis me enviaron a verlo. Me dijeron que está por comprar un seguro de vida".

"¿Qué */?ç-!* es esto?", gritó Lindsay en una voz que debió haberse oído en Pascall Avenue. "Usted es el quinto vendedor de seguros que me envían en dos días. ¿Acaso esto les parece una broma divertida?".

¡Bueno! ¿Acaso esto me sorprendió? Habría estallado en una gran carcajada, pero este hombre realmente estaba airado. Finalmente le dije: "¿qué les dijo a Neale y Frank que les haya hecho pensar que iba a comprar un seguro de vida?".

Aun gritando: "¡les dije que nunca en mi vida había comprado ningún seguro! ¡No creo en los seguros de vida!".

"Usted es un empresario muy exitoso, señor Lindsay", dije. "Debe tener una muy buena razón para no comprar un seguro de vida. ¿Podría decirme por qué?".

"Claro que le diré por qué" (su voz se calmó un poco). "Tengo todo el dinero que necesito y, si algo me pasa, mi esposa y mis hijas tendrán todo el dinero que necesitan".

Hice una pausa mientras pensaba en lo que él había dicho. Luego dije: "señor Lindsay, además de eso, ¿no hay otra razón por la cual nunca ha comprado un seguro de vida?".

Él: no, esa es la única razón. ¿No cree que es una razón suficiente?

Yo: ¿puedo hacerle una pregunta personal?

Él: adelante.

Yo: ¿debe usted dinero?

Él: ¡no debo ni un dólar en el mundo!

Yo: si usted debiera una cantidad considerable de dinero, ¿consideraría comprar un seguro de vida para cancelar la deuda en caso de que muriera?

Él: probablemente lo haría.

Yo: ¿alguna vez ha pensado que si muriera esta noche, el Tío Sam automáticamente aplicaría una gran hipoteca sobre sus bienes? Y antes de que su esposa e hijas recibieran un centavo, tendrían que reunir dinero en efectivo para pagar esa hipoteca.

Ese día, el señor Lindsay compró el primer seguro en toda su vida.

Al día siguiente, me encontré con McNeill y Davis para almorzar. Cuando les dije que Lindsay había hecho una compra, nunca había visto a dos hombres más sorprendidos. Se tardaron un rato en creerlo. Pero cuando vieron que no estaba bromeando, soltaron una gran carcajada.

Para usar la pregunta "además de eso, ¿hay algo más en su mente?" usualmente es necesario animar a la otra persona a que se abra y hable. Permíteme ilustrarlo con una experiencia inusual. Una mañana, estando yo en un hotel de Orlando, Florida, un joven vendedor se me acercó con un serio problema. Unos dos años antes, su compañía, que fabricaba productos químicos en New York, misteriosamente había perdido su mayor cuenta en la Florida, y no pudieron saber por qué la habían perdido. Intentaron todo para volver a ganar el cliente. Uno de sus vicepresidentes había viajado desde New York, pero ni siquiera él logro resultados.

"Hace un año, cuando ingresé a la empresa", dijo aquel prometedor vendedor, "me insistieron en la importancia de ir tras esa cuenta hasta recuperarla. Ya llevo un año llamándolos con cierta frecuencia y, en mi opinión, al parecer no hay esperanza".

Le hice varias preguntas acerca de sus entrevistas con ellos, en particular sus más recientes conversaciones.

"Justo esta mañana estuve allí de nuevo", dijo. Hablé con el presidente, el señor Jones, pero todo fue igual. No me habló. Se quedó ahí sentado, mostrándose aburrido. Cuando dejé de hablar, hubo un largo silencio, y terminé levantándome avergonzado y me fui".

Le sugerí que esa tarde fuera de nuevo y le dijera al señor Jones que acababa de recibir la orden de su oficina principal de que volviera de inmediato. El vendedor y yo hablamos exactamente acerca de lo que debía decir. Luego hice que me lo repitiera.

Más tarde ese día, me llamó por teléfono y estaba tan emocionado que casi no podía hablar. Me dijo: "¿puedo ir a verlo ahora mismo? ¡Tengo un pedido del señor Jones! Y creo que todo el problema se ha solucionado. ¡Nuestro gerente de Atlanta viajará esta misma noche!"

Parecía increíble. Creo que yo estaba casi tan entusiasmado como él. Así que le dije: "venga de inmediato y cuéntemelo todo".

Esto fue lo que él me relató acerca de la entrevista:

"Todo parece tan simple que me cuesta creerlo. Cuando entré al despacho del señor Jones, él levantó la mirada con sorpresa".

Vendedor: señor Jones, esta mañana después de visitarlo, recibí una orden de nuestra oficina central en Nueva York diciéndome que lo visitara de inmediato y que obtuviera toda la información. ¿Exactamente por qué perdimos su cuenta? Estamos seguros de que debe haber tenido una buena razón, alguien en nuestra empresa debe haber cometido un error de alguna manera. ¿Me podría decir cuál fue ese error, señor Jones?

Jones: ya se lo he dicho antes. Decidí probar con otro productor. Ellos han demostrado ser muy satisfactorios y no estoy dispuesto a cambiar.

Vendedor: si hay algo más, y usted me dice qué es, y de nuestra parte no podemos solucionarlo, se sentiría mejor por habernos dado la oportunidad. Si podemos comprobar sin ninguna duda en su mente que hubo un error involuntario o un descuido, se sentirá mejor por darnos la oportunidad de corregir la falla. ¿No es eso cierto, señor Jones?

(Lo mismo de siempre. El señor Jones se quedó ahí sentado mirando por la ventana. Pero esta vez, me quedé en silencio y lo esperé. Me pareció terriblemente largo, pero finalmente comenzó a hablar).

"Bueno, si quiere saberlo, su empresa suspendió un descuento especial sin avisarnos. ¡Tan pronto como lo supe, decidí cortar mis pedidos con ustedes!".

Ahí estaba la verdadera razón.

Esto es lo que sucedió: ese inteligente joven vendedor no perdió el tiempo. Agradeció inmensamente al señor Jones por la información y de inmediato corrió al teléfono público más cercano y llamó a la oficina de Atlanta. Ellos sacaron sus registros y llamaron a la oficina de New York. La comparación de los registros demostró que el señor Jones tenía razón para creer que su descuento se había interrumpido, aunque en realidad no era así. El vendedor recibió instrucciones de regresar de inmediato a la oficina de Jones. Cuando llegó, Jones ya entendía lo sucedido. El gerente de Atlanta asumió toda la culpa por no haberle informado como era debido al señor Jones acerca de un nuevo método de facturación en cifras netas.

Dudé mucho tiempo antes de hacer pública esta pequeña fórmula. Tenía miedo de que fuera vista como un truco. Y no creo en los trucos. No puedo usarlos. No funcionan, los he probado. Y me alegra que no hayan funcionado, porque en el largo plazo, sé que los trucos son un juego perdido en cualquier negocio. Nada puede tomar el lugar de la completa honestidad en primer y último lugar ¡y todo el tiempo!

Resumen

Recuerda estas sabias palabras de J. Pierpont Morgan: "Por lo general, una persona tiene dos razones para hacer algo: una que suena bien y otra que es verdad".

La mejor fórmula que he encontrado para encontrar la razón real está construida en torno a estas dos preguntas:

"¿Por qué"? y "además de eso...".

13

El arte olvidado que hace magia en las ventas

Hace unos años hice una gira de conferencias durante seis meses con Dale Carnegie yendo de costa a costa. Cinco noches por semana, hablábamos ante públicos de varios cientos de personas que estaban ansiosas por crecer personalmente y mejorar sus capacidades para relacionarse y tratar a los demás. Eran personas de diversas ocupaciones: taquígrafos, profesores, ejecutivos, amas de casa, abogados, vendedores.

Yo nunca antes había hecho una gira de conferencias, y resultó ser la aventura más emocionante de mi vida. Cuando volví a casa, estaba ansioso por hacer dos cosas: volver a vender y, por supuesto, contarles a todos acerca de mi emocionante experiencia.

La primera persona a quien llamé fue al presidente de una compañía de venta al por mayor y al por menor de leche y productos lácteos en Filadelfia. Ya antes había hecho negocios importantes con él. Parecía estar feliz de verme. Cuando me senté frente a él en su oficina, me ofreció un cigarrillo y dijo: "Frank, cuénteme todo acerca de su viaje".

"Está bien, Jim", contesté, "pero primero, estoy ansioso por escuchar todo acerca de usted. ¿Qué ha estado haciendo? ¿Cómo está Mary? ¿Y cómo va su empresa?".

Lo escuché con atención mientras hablaba de su empresa y su familia. Luego empezó a hablarme de un juego de póker en el que él y su esposa habían estado la noche anterior. Habían jugado "Red Dog". Bueno, yo nunca había oído hablar del "Red Dog" y, para ese momento, habría preferido hablarle de mi gira de conferencias y haber presumido un poco de mí mismo. Pero me reí con él mientras explicaba cómo es el juego y lo entretenido que puede ser.

Al parecer se había divertido mucho y, cuando me dispuse a partir, me dijo: "Frank, hemos estado considerando la posibilidad de asegurar al superintendente de nuestra planta. ¿Cuánto costaría un seguro de vida por $25.000 dólares?".

Nunca tuve la oportunidad de hablar de mí mismo, pero me fui con una buena orden que otros vendedores ofrecieron, pero que probablemente no obtuvieron por haber hablado mucho.

Esto me enseñó una lección que debía aprender: la importancia de ser un buen oyente, mostrarle a la otra persona que estás sinceramente interesado en lo que está diciendo, prestarle toda la atención con el interés y aprecio que tanto desea, ¡pero rara vez recibe!

Trata de mirar directamente a la cara a la persona que te está hablando, con ansiedad y absorto interés (así sea tu propia esposa) y presta atención al efecto mágico que esto surte en ti mismo y en el que está hablando.

Esto no tiene nada de nuevo. Hace dos mil años, Cicerón dijo: "el silencio es un arte y también tiene elocuencia". Pero escuchar se ha convertido en un arte olvidado. Los buenos oyentes son escasos.

Hace poco, una gran organización nacional les envió este mensaje especial a todos sus vendedores:

La próxima vez que vayan a cine, observen cómo los actores escuchan a los otros personajes. Para ser un gran actor, se necesita ser un gran oyente así como un orador eficaz. Las palabras de la persona que habla se reflejan en la cara del oyente como si fuera en un espejo. Puede robarle una escena a quien habla dependiendo de la calidad de su atención. Un famoso director de cine ha dicho que muchos actores no alcanzan la fama porque no han aprendido el arte de escuchar con creatividad.

¿El arte de escuchar solo se aplica a vendedores y actores? ¿Por qué no le damos toda la importancia en lo que hacemos? ¿Alguna vez, al hablar con alguien, has sentido que lo que estás diciendo no está causando mucha impresión? Tuve varias ocasiones en las que, al hablar con otra persona, veía que me estaba oyendo, pero que no me estaba escuchando. En lo que a mí respecta, en esos casos mi conversación no tuvo ningún efecto, cero absoluto. Así que me dije a mi mismo: "la próxima vez que hables con alguien y veas que eso está sucediendo, ¡detente! ¡Detente justo a mitad de una frase!". A veces me detengo justo a mitad de una palabra.

Veo que las personas lo consideran como una cortesía. Nunca se ofenden. Nueve de cada diez veces, tienen algo en mente que quieren decir. Y si así es, no le prestarán atención a lo que estamos diciendo hasta que hayan hecho su aporte.

Por ejemplo, uno de nuestros vendedores (a quien llamaremos Al) me llevó a entrevistar al ya fallecido Francis O'Neill, quien fue un gran industrial convertidor y fabricante de papel. El señor O'Neill comenzó como vendedor de papel, luego inició su propia empresa y, con mucho esfuerzo y trabajo constante, desarrolló una de las empresas procesadoras de papel más importantes del país, la Compañía Paper Manufacturers de Filadelfia. Él era uno de los hombres más reconocidos en la industria del papel. Además, también tenía la reputación de ser un hombre de pocas palabras.

Después de la introducción de costumbre, el señor O'Neill nos invitó a sentarnos. Yo empecé a hablarle acerca de los impuestos en relación con sus bienes y su empresa, pero en ningún momento me miró. No podía verlo a la cara. Solo podía ver la parte superior de su cabeza mientras él miraba hacia abajo sobre su escritorio. De ninguna manera podía saber si él me estaba escuchando o no. Después de unos tres minutos, ¡me detuve justo en medio de una frase! Luego hubo un silencio aparentemente embarazoso. Me acomodé en mi silla y esperé.

Después de casi un minuto esto empezó a ser demasiado para Al. Comenzó a retorcerse nerviosamente en su silla, temía que mis nervios me hubieran fallado al estar frente a este hombre tan importante. Tenía que salvar la situación. Así que empezó a hablar. ¡Si hubiera alcanzado bajo la mesa, le habría dado una patada en las espinillas! Me quedé mirándolo hasta que él finalmente miró hacia donde yo estaba, y yo, meneando la cabeza, le dije que se detuviera. Afortunadamente, Al captó la señal y se detuvo al instante.

Luego hubo otro silencio aún más incómodo, un minuto completo (pareció mucho más tiempo). Finalmente, el fabricante de productos de papel levantó la mirada. Vio que yo estaba relajado por completo y era obvio que esperaba que dijera algo.

Nos miramos el uno al otro con expectativa (después de la reunión, Al me dijo que nunca había visto algo igual. No podía entender lo que estaba sucediendo). Luego el señor O'Neill rompió el silencio. He aprendido que si esperas lo suficiente, la otra persona siempre romperá el silencio. Él por lo general era un hombre de pocas palabras, pero habló fervientemente durante media hora. Como estaba dispuesto a hablar, lo animé a seguir haciéndolo.

Cuando terminó, le dije: "señor O'Neill, me ha dado información muy importante. Es evidente que usted ha pensado en este tema mucho más que la mayoría de empresarios. Usted es un hombre muy exitoso, y sería muy egoísta de mi parte creer que puedo venir a su oficina y, en unos pocos minutos, darle la solución adecuada al problema que lleva dos años tratando de resolver. Sin embargo, quisiera tomar algo de tiempo para estudiarlo más a fondo. Quizás pueda volver con algunas ideas que puedan ser de ayuda".

La que en un principio pareció ser una entrevista poco satisfactoria, terminó siendo un éxito. ¿Por qué? Simplemente porque hice que este hombre hablara de sus problemas. Mientras escuchaba, él me daba pistas valiosas respecto a sus necesidades. Unas pocas preguntas con tacto me permitieron obtener la esencia de toda su situación y lo que él quería lograr. Este caso terminó convirtiéndose en una gran línea de negocios.

Todos tendríamos utilidades si cada mañana hiciéramos esta oración: "oh Señor, ayúdame a mantener mi gran boca cerrada hasta que sepa de qué estoy hablando... Amén".

En muchas ocasiones yo mismo debí patearme los dientes por haber hablado sin parar y no darme cuenta que la otra persona no me estaba escuchando, pero como estaba tan concentrado en lo que decía me tardé mucho en entender que no me estaban prestando atención.

Muchas veces hay todo un desfile de pensamientos pasando por la mente de un hombre y, si no le damos la oportunidad de aportar a la conversación, no podremos saber lo que está pensando.

La experiencia me ha enseñado que una buena regla es asegurarse de que la otra persona haga gran parte de la conversación durante la primera mitad. Así, cuando yo hablo, estoy más seguro de la realidad y tengo mayores probabilidades de tener su atención.

A nadie le agrada sentirse burlado, engañado o interrumpido por un boca suelta que sabe lo que vamos a decir antes de que lo digamos. Ya conoces a esas personas, ponen su lengua a toda velocidad antes de poner en marcha su cerebro, te explican en qué aspecto y por qué razón estás equivocado y te aclaran todo antes de que tú mismo puedas comprender. En ese momento, sientes el deseo de aclararle a esa persona todas las cosas, ¡con un gancho de izquierda y otro de derecha justo en la barbilla!

Aunque tenga la razón, no quieres admitirlo. Y si es un vendedor, es probable que recurras a una mentira para deshacerte de este sabiondo, y luego te desviarás hasta tres kilómetros para comprar el mismo artículo, así tengas que pagar más.

Cuando era joven, Benjamin Franklin era engreído. Quería ser el que más participaba en una conversación y decirles a los demás en qué estaban equivocados, al punto que la gente prefería cambiar de acera para evitar encontrarse con él en la calle. Un amigo cuáquero amablemente le hizo ver ese defecto imperdonable y convenció a Ben al mencionarle varios casos. Más de medio siglo después, a la edad de setenta y nueve años, Franklin escribió estas palabras en su famosa autobiografía:

Teniendo en cuenta que en las conversaciones el conocimiento se obtiene más por el uso de los oídos que por el uso de la lengua, le di al silencio el segundo puesto entre las virtudes que decidí cultivar.

¿Y qué de ti? ¿Alguna vez te has encontrado pensando en lo que vas a decir, en lugar de escuchar con atención? Comprendí que cuando no estaba escuchando atentamente a alguien, mi información se confundía, perdía el hilo del tema principal, ¡y con frecuencia llegaba a conclusiones equivocadas!

Sí, es muy cierto que hay momentos en los que las personas se sienten tan halagadas por tener toda nuestra atención y nuestro deseo de escuchar lo que tienen que decir, que terminan desbordándose y dándonos un largo "entrenamiento." Por ejemplo, uno de nuestros vendedores organizó una cita para que me entrevistara con George J. DeArmond, un destacado comerciante al por mayor de bienes de tapicería y estanterías, cuyas oficinas estaban ubicadas en la calle 925 Filbert, de Filadelfia. La cita era a las 11 a.m. Seis horas después, John y yo salimos tambaleando de la oficina de este comerciante y nos apresuramos a entrar a una cafetería para aliviar el dolor de cabeza. Era evidente que John estaba decepcionado con mi presentación de ventas. Sería exagerado decir que duró cinco minutos.

Para la segunda cita, nos aseguramos de programarla después del almuerzo. Esta "conferencia" comenzó a las dos y, si el chofer de nuestro cliente potencial no hubiera venido a nuestro rescate a las 6 p.m., ¡es probable que todavía estuviéramos allí!

Tiempo después, nos dimos cuenta que solo habíamos completado media hora de presentación de ventas, y habíamos dedicado más de nueve horas a escuchar la vieja y emocionante historia de la empresa de este amigo. Y era emocionante e inspiradora, ya que él relataba cómo había empezado sin nada, su crecimiento, cómo enfrentó las depresiones económicas, su ataque de nervios a los cincuenta años, el fracaso que tuvo con una sociedad que formó y cómo finalmente sentó los cimientos para una de las mejores empresas de comercialización al por mayor en la costa Este. Quizás habían pasado muchos años sin que alguien estuviera dispuesto a escuchar lo suficiente como para que este hombre contara toda su historia. Él deseaba mucho tener esa oportunidad. Se animaba y sus ojos a veces se llenaban de emoción.

Era evidente que la mayoría de personas usaban más su boca con este hombre que sus oídos. Nosotros simplemente invertimos el proceso y fuimos premiados con creces. Aseguramos a su hijo de cincuenta años de edad, J. Keyser DeArmond, por $100.000 dólares para proteger su empresa.

El doctor Joseph Fort Newton, famoso predicador, autor y columnista de un periódico, me dijo en una ocasión: "los vendedores deben escuchar y así también los predicadores. Uno de mis principales deberes es escuchar las vidas humanas".

"No hace mucho", dijo el doctor Newton: "una mujer se sentó frente a mi escritorio y empezó a hablar sin parar. Era casi totalmente sorda y apenas podía oír alguna de las palabras que le decía. La historia que me contó era tiste y desgarradora, y me la relató con los más mínimos detalles. Muy rara vez escucho historias tan tristes como la que ella expresó en su angustia reprimida.

Al final, me dijo, 'usted me ha ayudado mucho. Necesitaba contarle todo esto a alguien y usted ha tenido la amabilidad de escucharme y no juzgarme'.

Sin embargo, yo difícilmente había dicho una palabra", comentó el doctor Newton, "y dudo que haya escuchado lo que dije. Pero de todos modos compartí su soledad y tristeza, y eso la ayudó a soltar la carga. Me dio una dulce sonrisa y se marchó".

Dorothy Dix, una de las columnistas de periódico con más lectores en el mundo, tenía razón cuando escribió: "El camino más rápido hacia la popularidad es tener oídos para todo el mundo, en lugar de boca. Nada de lo que puedas decirle a alguien alcanza a ser la mitad de interesante para esa persona que aquellas cosas desea contar acerca de sí mismo. Y lo único que necesitas para tener la reputación de ser un compañero fascinante, es decir: '¡qué maravilloso! Cuéntame más'".

Ya no me preocupo por ser un gran conversador. Solo trato de ser un buen oyente. Veo que las personas que hacen esto suelen ser bienvenidas a dondequiera que van.

RESUMEN DE LA SEGUNDA PARTE
Recordatorios de bolsillo

1. El secreto más importante en el arte de las ventas es identificar lo que la otra persona quiere y luego ayudarle a encontrar la mejor manera de obtenerlo.

2. Si quieres dar en el blanco, recuerda el sabio consejo de Dale Carnegie: "solo hay una forma bajo el cielo para lograr que alguien haga algo. Solo una. Y es haciendo que la otra persona quiera hacerlo. Recuerda, no hay ninguna otra manera".

Cuando le muestras a alguien lo que quiere, esta persona moverá cielo y tierra para obtenerlo.

3. Cultiva el arte de hacer preguntas. Las preguntas, a diferencia de las afirmaciones, pueden ser el medio más eficaz para hacer una venta o convencer a otros en cuanto a tu manera de pensar. Pregunta en lugar de atacar.

4. Encuentra el asunto clave, el punto más vulnerable, y no te salgas de él.

5. Aprende a usar la pregunta más importante en el arte de las ventas, esa poderosa y corta pregunta es: "¿por qué?". Recuerda que Milton S. Hershey, quien fracasó tres veces antes de cumplir cuarenta, consideraba que esta pregunta era tan importante en los negocios que dedicó su vida a ella.

6. Para encontrar la objeción oculta, la verdadera razón, recuerda lo que dijo J. Pierpont Morgan: "por lo general, una persona tiene dos razones para hacer algo: una que suena bien y otra que es verdad". Las probabilidades son dos a una de que hay algo más. Haz estas dos preguntas: "¿por qué?" y "además de eso...". Procura utilizarlas durante una semana. Te sorprenderá ver los resultados que obtendrás al superar las objeciones.

7. Recuerda el arte olvidado que hace magia en las ventas. Sé un buen oyente. Muéstrale a la otra persona que estás sinceramente interesado en lo que está diciendo, préstale toda la atención con el interés y aprecio que todos deseamos pero rara vez recibimos. Ese es uno de los principios fundamentales de la fórmula para el éxito en las ventas ¡Sí, hace magia en las ventas!

TERCERA PARTE

Seis maneras de ganar y mantener la confianza de los demás

14

La lección más importante que aprendí sobre cómo crear confianza

Cuando comencé mi carrera como vendedor, tuve la gran fortuna de estar bajo la supervisión de Karl Collings, quien durante cuarenta años fue uno de los principales vendedores en su compañía.

El mayor activo del señor Collings era su notable habilidad para inspirar confianza en los demás. Tan pronto empezaba a hablar, podías decir: "este es un hombre en quien se puede confiar, él sabe lo que hace, y es fiable". Lo noté justo cuando lo conocí. Un día supe por qué.

Un prometedor cliente potencial me había dicho: "vuelva después del primer día del mes. Quizás haga algo". Pero yo tenía miedo de volver. De hecho, durante esos días estaba tan desanimado, que casi todos los días pensaba en renunciar. Así que le pedí al señor Collings que fuera conmigo a ver a este hombre. Me miró directo a los ojos y dijo: "claro que iré".

Bien, él hizo la venta con una facilidad sorprendente. ¡Vaya, yo estaba muy emocionado! Me imaginé la comisión, que eran unos $259 dólares, ¡y a mí deshaciéndome de los cobradores! Pero pocos días después recibí la mala noticia. Debido a un problema físico, el contrato emitido había sido "modificado".

"¿Debemos decirle a este hombre que el seguro no va a ser uno estándar?", pregunté. "Él no lo sabrá, a menos que se lo digas, ¿verdad?".

"No, pero yo sí lo sabré. Y tú también", respondió el señor Collings tranquilamente.

El señor Collings comenzó: "podría decirle que esta política es estándar y probablemente nunca sabría la diferencia, pero no lo es". Luego explicó la diferencia al cliente. "Sin embargo", prosiguió Collings, mirando a nuestro cliente directo a los ojos: "creo que este contrato le ofrece la protección que necesita, y quisiera que lo considerara detenidamente".

Sin vacilar un momento, el hombre dijo: "lo tomo", y de inmediato escribió su cheque para pagar el año completo.

Al observar a Karl Collings en esa entrevista, vi por qué la gente creía en él, por qué le daban plena confianza con tanta facilidad. Esa entrevista me ayudó más que todas las enseñanzas que él hubiera dado. ¡Él merecía confianza! Se evidenciaba en sus ojos.

La frase "no, pero yo sí lo sabré", resultó ser el secreto del verdadero carácter de Karl. Nunca he podido olvidar el profundo significado que hay detrás de esas sencillas palabras. Mi mayor fuente de valor, cuando he visto que todo se ve oscuro, ha provenido de creer en la sabiduría de esta filosofía: la prueba no es ¿será que la otra persona lo va a creer? sino, ¿lo crees tú?

En una ocasión, cargué el siguiente recorte en mi bolsillo y lo leí hasta que lo interioricé:

El vendedor más sabio y mejor, siempre es el que dice la verdad sin rodeos acerca de lo que vende. Mira a su cliente potencial a los ojos y le cuenta su historia. Esto siempre impresiona. Y aunque no venda la primera vez, deja un rastro de confianza. Como regla general, un cliente no puede ser engañado una segunda vez mediante una charla dudosa o inteligente que no cuadra con la verdad. El que logra la venta no es el mejor conversador, sino el más honesto... hay algo en la forma de mirar, el uso de las palabras y el espíritu de un vendedor, que de inmediato genera confianza o desconfianza... ser completamente honesto siempre es seguro y mejor.

—George Matthew Adams

No tengo una especialización en seguros de vida, pero he tratado de seguir su código. Cualquier vendedor se puede ver beneficiado al adoptarlo. "En todas mis relaciones con clientes, me comprometo a aplicar la siguiente regla de conducta profesional: haré todo lo posible por determinar y entender todas las circunstancias que rodean a mi cliente y, ante todo, prestaré ese servicio que, en caso de que yo estuviera en las mismas condiciones, me daría a mí mismo".

La primera regla para ganar y mantener la confianza de los demás es:

Merecer confianza

15

Aprendí una valiosa lección sobre cómo crear confianza con un gran médico

Hace unos años, llegué a Dallas, Texas, un sábado por la noche con una infección por estreptococos en la garganta. No podía hablar. Estaba programado para una serie de conferencias durante cinco noches, ¡comenzando el lunes! Llamamos a un médico y me dio un tratamiento, pero a la mañana siguiente mi estado era peor. Parecía imposible que yo pudiera proseguir con las conferencias.

Entonces me enviaron con el doctor O.M. Marchman, en el 814 Medical Arts Building de Dallas. Él entró e hizo lo que el primer médico había dicho que sería imposible. ¡Pude salir al escenario todas las noches y hacer todas mis presentaciones!

Una mañana, durante un tratamiento, el doctor Marchman me preguntó dónde vivía. Cuando le dije Filadelfia, sus ojos se iluminaron. "¿Habla en serio?, usted vive donde está el centro médico del mundo", dijo. "Cada verano viajo durante seis semanas a su ciudad natal para asistir a conferencias y clínicas".

Bueno, ¡eso me sorprendió! Tenía ante mí a un médico que desempeñaba su profesión con gusto y prestigio en el suroeste y, sin embargo, a la edad de 66 años, seguía tan interesado en mantenerse actualizado con los últimos avances científicos en su carrera, que dedicaba sus seis semanas de vacaciones cada año a asistir a conferencias y clínicas. ¿No es de extrañar que un hombre como él fuera considerado como el otorrinolaringólogo más sobresaliente de Dallas, Texas?

Hace muchos años, Frank Taylor, agente de compras para la General, dijo: "me gusta hacer negocios con personas que se mantienen informadas acerca de su propia industria, quienes pueden decirme exactamente lo que tienen y que me puede ser útil, y que vuelven a su trabajo sin desperdiciar su tiempo ni el mío. Me gustan las personas con ideas útiles, quienes pueden mostrarme cómo obtener más o mejores bienes por la misma cantidad de dinero. Estas personas me ayudan a hacer mi trabajo brindando satisfacción a mis empleadores. Trato de favorecer a cualquier vendedor que sea completamente honesto respecto a los productos que vende y que vea sus limitaciones, así como sus virtudes. Nunca he tenido un malentendido con personas así".

En los días cuando me encontraba luchando por salir adelante, dieciséis vendedores trabajaban fuera de nuestra oficina en Filadelfia. Dos de ellos producían cerca del setenta por ciento de las ventas. Veía que otros vendedores continuamente buscaban a estos dos vendedores para que los aconsejaran. Probablemente yo me aproveché de la generosidad de ellos más que nadie. Por último, me llamó la atención algo muy significativo, y es que estos líderes eran los mejor informados. En una ocasión, le pregunté a uno de ellos de dónde sacaba toda su información. Él me dijo: "me suscribo a servicios que dan todas las respuestas jurídicas, ideas de venta y leo las mejores publicaciones y revistas".

"¿De dónde sacas tiempo para leer y estudiar todo eso?", pregunté.

"¡Separo el tiempo!", respondió.

Eso me hizo sentir culpable. Pensé: "si él puede tomar el tiempo, yo también puedo. Su tiempo vale diez veces más que el mío". Así que me suscribí a uno de los servicios que él me recomendó, pagando una tarifa mensual. Poco tiempo después, cerré una muy buena venta que ni siquiera habría visto si no hubiera empezado el curso. Sin duda, estaba entusiasmado y se lo dije a uno de mis compañeros en la oficina. También lo animé a tomar el curso. Pero él dijo: "no puedo pagarlo ahora".

Al día siguiente, cuando me disponía a cruzar la calle Broad en una intersección, casi me arrolla un hermoso auto de alta potencia. Al mirar, vi quien era el propietario. Era el hombre que el día anterior me había dicho que no podía pagar el servicio de $48 dólares. ¡Tiempo después tampoco pudo pagar su auto!

He viajado por todo el país asistiendo a congresos y reuniones de ventas. En esas reuniones siempre he visto que los líderes son aquellas personas que conocen su negocio.

Billy Rose, en su columna de "Juegos de herraduras", hace poco escribió: "Esta es la era de los especialistas. El encanto y los buenos modales valen hasta $30 dólares a la semana. Después de eso, las compensaciones son directamente proporcionales a la cantidad de conocimientos técnicos especializados que alguien tenga".

¿Por cuánto tiempo deberíamos seguir estudiando y aprendiendo? Bueno, el doctor Marchman de Dallas, Texas, seguía aprendiendo a los 66 años, y nunca llegó a pensar que podía haber un buen momento para detenerse. Henry Ford dijo: "cualquier persona que deje de aprender es un anciano, ya sea a los veinte o a los ochenta años de edad. Quienes siguen aprendiendo se mantienen jóvenes. Lo mejor en la vida es mantener tu mente joven".

Así que si quieres tener confianza en ti mismo, ganar y mantener la confianza de los demás, considera esta una regla fundamental:

Conoce tu negocio y no dejes de hacerlo

certificado

16

La forma más rápida que descubrí para ganar confianza

Déjame ilustrarte con una entrevista la forma más rápida que descubrí para ganar la confianza de los demás. Esta entrevista se dio en la oficina del ya fallecido A. Conrad Jones, tesorero de la Compañía I.P. Thomas, en Camden, New Jersey, un gran productor de fertilizantes. El señor Jones no me conocía y muy pronto me enteré que él no sabía prácticamente nada acerca de mi empresa.

Veamos lo que sucedió en la entrevista:

Yo: señor Jones, ¿con cuáles empresas se encuentra asegurado?

Jones: New York Life, Metropolitan y Provident.

Yo: ¡bueno, usted ha escogido las mejores!

Jones (obviamente complacido): ¿eso cree?

Yo: ¡nada mejor en el mundo!

(*Luego procedí a mencionarle algunos hechos acerca de esas empresas, características que sin duda hacían que fueran grandes instituciones. Por ejemplo, le dije que el Metropolitan era la corporación más grande del mundo, una organización asombrosa que en algunas comunidades había asegurado a cada hombre, mujer y niño).*

¿Lo estaba aburriendo? ¡No, señor! Él escuchó ávidamente como le hablaba acerca de las empresas que había elegido y que, al parecer, nunca antes había escuchado. Pude ver que se sentía orgulloso por haber hecho tan buenas elecciones al invertir su dinero en estas grandes empresas.

¿Me habrá afectado hacerle estos sinceros elogios mis competidores? Bueno, veamos lo que sucedió:

Al hacer estos comentarios breves pero favorables, terminé diciendo:

"Señor Jones, usted sabe que aquí en Filadelfia tenemos tres grandes empresas: Provident, Fidelity y Penn Mutual. Estas se destacan entre las principales empresas del país".

Él se veía impresionado con mis conocimientos acerca de mis competidores, así como mi disposición a elogiarlos. Al presentar mi empresa a la misma altura de las otras compañías que él ya conocía, él estaba mejor preparado para aceptar como veraces las afirmaciones que hiciera.

Esto es lo que sucedió: yo personalmente aseguré a A. Conrad Jones y, unos meses después, le vendí a su firma una gran línea de seguros de vida para sus cuatro ejecutivos principales. Cuando el presidente, Henry R. Lippincott, me preguntó acerca de Fidelity, la empresa con la que estaban adquiriendo todos estos seguros, el señor Jones interrumpió y repitió casi palabra por palabra lo que yo le había dicho meses atrás acerca de "las tres principales empresas de Filadelfia".

No, el haber elogiado a mis competidores no fue lo que hizo esas ventas, pero sí me puso en primera base, ¡lo cual luego me puso en posición de batear con las bases llenas! Después de esto, conté con suerte y conecté un cuadrangular.

En mi caso, el haber estado elogiando a mis competidores durante un cuarto de siglo ha demostrado ser una manera muy agradable y rentable de hacer negocios. A lo largo de la vida, en nuestras interacciones diarias, ya sean sociales o de negocios, ¿no tratamos todos de ganar la confianza de los demás? He encontrado que una de las maneras más rápidas de ganar y mantener la confianza de los demás es aplicar la regla planteada por uno de los grandes diplomáticos del mundo, Benjamin Franklin: "no hablaré mal de nadie y diré todo lo bueno que sepa de cada persona".

Así que la regla número tres es:

Elogia a tus competidores

17

¡Cómo hacer que te echen!

Tuve la oportunidad de que me concedieran una última entrevista con Arthur C. Emlen, presidente de Harrison, Mertz y Emlen, una reconocida firma de arquitectos, paisajistas e ingenieros, localizada en el 5220 de la calle Greene, en Germantown, Filadelfia. Se trataba de una línea de negocios bastante grande y había mucha competencia. El señor Emlen llamó a los otros cuatro miembros de la compañía a su oficina. Al tomar asiento, tuve la sensación que de alguna manera estaba a punto de ser desechado. Y tenía razón.

Así fue la entrevista:

Emlen: señor Bettger, no le tengo muy buenas noticias. Hemos estudiado este asunto con mucho cuidado y hemos decidido hacer el negocio por medio de otro intermediario.

Yo: ¿podría preguntar por qué?

Emlen: bueno, él hizo la misma propuesta que usted, pero sus costos son mucho más bajos.

Yo: ¿él vio mi propuesta?

Emlen: ah... mmm sí, pero solo porque queríamos que nos diera cifras sobre el mismo plan.

Yo: ¿por qué no me da el mismo privilegio que le dio a él? ¿Qué puede perder?

Emlen (mirando a sus compañeros): ¿qué opinan ustedes?

Mertz: está bien. ¿Qué podemos perder?

(*Emlen me entregó la propuesta y tan pronto la vi supe que algo andaba mal. Era más que una exageración. ¡Era una mala interpretación!*)

Yo: ¿puedo usar su teléfono?

Emlen (un poco sorprendido): adelante.

Yo: ¿señor Emlen, puede escuchar en su extensión?

Emlen: seguro.

(*Unos minutos después estábamos comunicados con el gerente local de la empresa a la que pertenecía el otro representante*).

Yo: ¡hola, Gil! Habla Frank Bettger. Me gustaría que me dijeras algunas de tus tarifas. ¿Tienes tu libro de tarifas a la mano?

Gil: sí, Frank. Adelante.

Yo: busca la edad de cuarenta y seis años en el nuevo plan que ustedes tienen que se llama "Plan de vida modificado". ¿Cuál es la tarifa?

(*Gil me dio la tarifa y coincidía exactamente con las cifras de la propuesta que tenía en mi mano. La edad del señor Emlen era cuarenta y seis años*).

Yo: ¿cuál es el primer dividendo?

(Gil me lo leyó y también coincidió).

Yo: ahora, Gil, ¿puedes darme la escala de dividendo de los primeros veinte años?

Gil: no puedo hacerlo, Frank, solo tenemos dos dividendos que podemos citar.

Yo: ¿por qué?

Gil: bueno, este es un nuevo contrato, y la compañía no sabe cómo será su experiencia.

Yo: ¿puedes calcular un estimado?

Gil: no, Frank, no podemos predecir con exactitud las condiciones futuras. Por esto la ley no permite estimaciones de dividendos futuros.

(La propuesta que tenía en mis manos presentaba un cálculo extremadamente liberal de dividendos durante veinte años).

Yo: gracias, Gil. Espero poder tener un negocio para ti pronto.

El señor Emlen había escuchado toda la conversación. Cuando colgamos, hubo una breve pausa. Me quedé sentado en silencio mirándolo. Levantando los ojos, me miró, luego a sus compañeros, y dijo: "bien, ¡eso es todo!".

El negocio era mío, sin otra pregunta. ¡Creo que mi competidor lo habría ganado si simplemente hubiera dicho la verdad! Él no solo perdió esa venta, perdió toda oportunidad de volver a hacer negocios con estos hombres. Además, también perdió su respeto propio.

¿Cómo lo sé? Porque, varios años antes, yo lo había perdido exactamente bajo las mismas circunstancias. Solo que en ese entonces yo estaba del lado equivocado. Estaba compitiendo con un amigo mío. Si tan solo hubiera presentado los hechos, probablemente habría logrado el pedido o al menos la mitad del mismo, ya que el presidente de la empresa a la que estaba tratando de hacer la venta quería darme el negocio. En ese momento habría significado mucho para mí. La tentación era demasiado grande y exageré las posibilidades de lo que estaba vendiendo. Realmente fue mala interpretación. Bueno, alguien sospechó y verificó con mi compañía. Perdí el negocio, perdí la confianza y el respeto de un buen amigo. Perdí el respeto de mi competidor, y peor aún, perdí mi respeto propio.

Esa fue una experiencia amarga. Quedé tan sorprendido por haber cometido tal equivocación que medité en ello toda la noche. Me tomó años recuperarme de esa humillación. Pero me alegra haber perdido, puesto que esto me enseñó que la filosofía de Karl Collings': "sí, pero yo lo sabré", era la mejor de todas. Tomé una decisión: nunca más me apropiaré de algo sobre lo que no tengo derecho, ¡cuesta demasiado!

18

Esto resultó ser un método infalible para ganar la confianza de alguien

He sabido que quizás lo más importante que un abogado litigante hace al defender a alguien ante los tribunales es presentar sus testigos. Naturalmente, el juez y el jurado sienten que el abogado tiene prejuicios en sus puntos de vista, así que no le dan todo el crédito a lo que dice. Pero el buen testimonio de un testigo fiable ejerce una poderosa influencia en la corte para establecer confianza en el abogado a medida que él construye su caso.

Veamos cómo los testigos pueden ayudar en las ventas.

Durante muchos años, al entregar cada contrato que vendía, el comprador firmaba el "recibo de aceptación" de nuestra empresa. Yo sacaba una copia fotográfica de esos recibos y los pegaba en hojas de papel y las guardaba en una carpeta. He visto que esto ejerce una poderosa influencia para establecer confianza ante extraños. Cuando me "acerco" al cierre, por lo general yo digo algo como esto: "señor Allen, es normal que yo tenga mis preconcepciones. Cualquier cosa que diga acerca de este plan va a ser favorable, así que quisiera que hablara con alguien que no tenga interés en venderlo. ¿Puedo usar su teléfono por un minuto?". Entonces llamo a uno de mis "testigos", preferiblemente alguien cuyo nombre sea familiar para mi cliente potencial, al mirar las firmas de los "recibos de aceptación". A menudo es un vecino o un amigo. A veces es una llamada fuera de la ciudad. Veo que las llamadas de larga distancia parecen ser más eficaces (¡ahora recuerda! Yo llamo a mi cliente potencial. Pero de inmediato le pido al operador que me informe el costo de la llamada y siempre la pago al terminar).

La primera vez que lo intenté, tenía miedo de que mi cliente potencial me detuviera, pero nadie lo ha hecho. De hecho, parece que les agrada hablar con mi "testigo". A veces, es un viejo amigo, y la conversación se desvía hacia temas muy diferentes del propósito original de la llamada.

Me encontré con esta idea casi por casualidad, pero he visto que es una manera muy buena para presentar a tus testigos. Nunca tuve mucho éxito para superar objeciones dando respuestas rápidas. Estas se ven bien en los libros de texto, pero cuando intenté usarlas, parecían conducir a una discusión. Cientos de veces he visto que es más eficaz tener el testimonio directo de uno de mis "testigos" (y están a la distancia de una llamada telefónica).

¿Cómo se sienten mis testigos en cuanto a esto? Al parecer, siempre les agrada dar consejos. Cuando vuelvo a verlos y les expreso mi agradecimiento, veo que esto ha tenido un efecto doble, ya que al participar en la venta para mi nuevo cliente potencial, tienen más entusiasmo frente a lo que les he vendido.

Hace unos años, un amigo cercano estaba buscando un calentador de aceite para su casa. Recibió cartas y catálogos de varias empresas. Una de estas cartas decía algo como esto: "La siguiente es una lista de sus vecinos que calientan sus hogares con nuestro calentador. ¿Por qué no toma el teléfono y llama al señor Jones, su vecino, y le pregunta cómo le ha parecido nuestro calentador?".

Mi amigo sí tomo el teléfono y habló con algunos de sus vecinos en esa lista. Y terminó comprando el calentador. Aunque esto sucedió hace dieciocho años, hace poco mi amigo me dijo: "siempre he recordado lo que decía esa carta".

Varias semanas después de haber dado una clase en Tulsa, Oklahoma, un vendedor me escribió y me informó que había comenzado a usar esa idea, teniendo un sensacional éxito con ese método. Aquí está:

"Señor Harris, en la ciudad de Oklahoma hay una tienda que es del mismo tamaño que la suya, la cual el mes pasado aseguró a más de cuarenta nuevos clientes porque comenzaron a vender determinado artículo de publicidad a nivel nacional. Si usted pudiera conversar con el propietario de esa tienda, ¿no quisiera hacerle algunas preguntas al respecto?".

"¡Sí!".

"¿Puedo usar su teléfono por un minuto?".

"Claro, adelante".

"Llamé de inmediato al dueño de esa tienda y luego dejé que los dos comerciantes hablaran", decía este vendedor en su carta. "He encontrado que esto no solo es un método perfecto", prosiguió, "sino que también es una de las mejores ideas de venta que jamás haya utilizado siempre".

Permíteme dar un testimonio más que Dale Carnegie me relató. Dejaré que Dale mismo de lo diga:

Yo quería saber a qué parte de Canadá podía ir, estaba buscando nuevo campamento donde pudiera encontrar buena comida, buenas camas, buena pesca y caza. Así que le envié una carta al departamento de recreación de Nueva Brunswick. Poco después recibí respuestas de treinta o cuarenta campamentos, literatura de todo tipo, lo cual me confundió más que nunca. Pero un hombre me envió una carta diciendo: "¿Por qué no contacta a estas personas en la ciudad de New York, ellos hace poco estuvieron en nuestro campamento, pregúnteles al respecto?".

Reconocí el nombre de una de las personas en la lista y lo llamé. Él empezó a elogiar lo maravilloso que era el campamento... Ahí estaba una persona a quien yo conocía, en quien podía creer, y que pudo decirme lo que quería saber. Un testimonio directo. Pude obtener información confiable. Ninguno de los demás me presentó testigos. Sin duda todos los otros campamentos los tenían, ¡pero no se dieron a la tarea de usar lo único que podía ganarse mi confianza con mayor rapidez que cualquier otra cosa!

Así que un método infalible para ganar rápido la confianza de alguien es:

Presentar tus testigos

19

Cómo verte mejor

La siguiente es una idea que me dieron hace treinta años y, desde entonces, la he estado usando. Uno de los hombres de mayor éxito en nuestra organización me dijo: ¿quieres saber algo? De vez en cuando, al mirarte, tengo que reír. ¡La mayoría de las veces te vistes como un bicho raro!". Bueno, fue muy difícil escuchar eso, pero este hombre era una persona que se tomaba su tiempo para alistarse. Yo sabía que estaba siendo sincero, así que presté atención.

Él me dio más explicaciones. "Dejas que tu cabello crezca mucho, te ves como un jugador de fútbol de los viejos tiempos. ¿Por qué no te cortas el cabello como un hombre de negocios? Hazlo cada semana, así siempre se verá igual. No sabes hacer el nudo de tu corbata. Toma lecciones en una buena tienda de camisas. ¡Tus combinaciones son definitivamente muy chistosas! ¿Por qué no te pones en las manos de un experto? Él te enseñara cómo vestirte bien.

"No puedo pagar algo así", protesté.

"¿A qué te refieres con que no puedes pagar algo así?", respondió el de inmediato. "No te va a costar ni un centavo. De hecho, te ahorrará dinero. Ahora escúchame. Escoge un buen camisero. Si no conoces a uno, busca a Joe Scott, de Scott and Hunsicker. Dile que yo te envié. Dile con franqueza que no tienes mucho dinero para invertir en ropa, pero que quieres saber cómo vestirte bien. Dile que si te aconseja y te enseña, cuando tengas dinero para invertir en ropa, lo harás en su tienda. Esto le agradará. Él se va a interesar personalmente en ti y te mostrará lo que debes usar. Te ahorrará tiempo y dinero. Y vas a ganar más dinero, porque las personas van a tener más confianza en ti".

Jamás se me habría ocurrido esa idea. Ese fue el mejor consejo que pude haber escuchado respecto a cómo vestirme bien. Siempre me ha alegrado haberlo escuchado.

Me puse en las manos de un buen peluquero llamado Ruby Day. Le dije que iba a ir todas las semanas, y que quería que me hiciera un corte de cabello para verme como un hombre de negocios y que lo mantuviera así, de modo que siempre se viera igual. Esto me costó más dinero del que nunca antes había gastado en una barbería, pero me ahorró dinero en el siguiente paso.

Fui con Joe Scott y él, con mucho gusto, aceptó el trato. Me dio lecciones de cómo hacer el nudo de la corbata, estuvo a mi lado mientras practicaba, hasta que adquirí la destreza casi tan bien como él. Cada vez que compraba un traje, él se interesaba directamente en mí y me ayudaba a escoger camisas, corbatas y calcetines que hicieran juego con el traje. Me dijo qué tipo de sombrero debía usar y me ayudó a elegir un abrigo adecuado. De vez en cuando, me daba pequeñas charlas acerca de cómo estar bien vestido. También me dio a leer un pequeño libro que fue de gran ayuda. Otro consejo importante que me dio me ahorró tanto dinero a lo largo de los años como para pagar varios trajes de ropa. Yo tenía el hábito de usar el mismo traje hasta que parecía que había dormido con él. Luego lo enviaba al sastre para que lo limpiara y lo planchara. "El frecuente planchado", explicó Joe Scott, " le quita la 'vida animal' a la tela, y el traje se desgasta mucho más rápido. Nadie debería usar el mismo traje dos días seguidos. Si solo tienes dos trajes, altérnalos cada día. Después de cada uso, debes colgar tu abrigo y el chaleco en una percha y colgar derechos los pantalones, no en el travesaño de la percha. Si haces esto, los pliegues desaparecen y tu ropa rara vez necesitará ser planchada hasta que la envíes a la tintorería".

Tiempo después, cuando pude pagarlo, Joe me demostró que es muy buena economía el invertir en varios trajes. Eso me permitió dejar colgado cada traje durante varios días después de usarlo.

Mi amigo, George Geuting, un verdadero zapatero, me dijo que esas mismas reglas se aplican a los zapatos. "Si alternas pares cada día", dijo George, "los zapatos se sentirán mejor, mantendrán mejor su vida útil y su forma, y durarán mucho más tiempo".

Alguien ha dicho: "el hábito no hace al monje, pero sin duda representan el noventa por ciento de lo que se ve de él". Si una persona no lo muestra, los demás no van a creer que lo que dices es importante. Y esto es verídico, cuando te sientes bien vestido, esto mejora tu actitud mental hacia ti mismo y te da más confianza propia.

Así que esta es la idea más práctica que he oído sobre cómo mejorar tu apariencia: "ponte en las manos de un experto".

Muéstrate mejor

RESUMEN DE LA TERCERA PARTE

Recordatorios de bolsillo

1. Merece confianza. La verdadera prueba no es: ¿será que la otra persona lo cree? sino, ¿lo crees tú?

2. Una regla fundamental para tener confianza en ti mismo, ganar y mantener la confianza de los demás es: conocer tu negocio... ¡y seguir conociéndolo!

3. Una de las maneras más rápidas de ganar y mantener la confianza de los demás es aplicar la regla de uno de los más grandes diplomáticos del mundo, Benjamin Franklin: "no hablaré mal de nadie y diré todo lo bueno que sepa de cada persona". ¡Elogia a tus competidores!

4. Cultiva el hábito de hacer cálculos por debajo, ¡nunca exagerar! Recuerda la filosofía de Karl Collings: "sí, pero yo lo sabré".

5. Un método infalible para ganar rápido la confianza de alguien es: presentar tus testigos. Ellos están tan cerca como el teléfono.

6. Muéstrate mejor. "Ponte en manos de un experto".

CUARTA PARTE

Cómo hacer que las personas quieran hacer negocios contigo

20

Una idea que aprendí de Lincoln me ayudó a hacer amigos

Un día, al momento de partir de la oficina de un joven abogado, hice un comentario que hizo que él me mirara con sorpresa. Esa era la primera visita que le hacía, y no había logrado hacer que se interesara lo más mínimo en lo que estaba tratando de venderle. Sin embargo, lo que dije al momento de salir hizo que se interesara muchísimo.

Esto es lo que dije: "señor Barnes, creo que usted tiene un gran futuro por delante. Nunca lo voy a molestar, pero, si no le importa, estaré contactándolo de vez en cuando".

"¿Qué quieres decir con que yo tengo un gran futuro por delante?", preguntó el joven abogado. Por la forma en que habló, supe que él pensaba que estaba haciéndole una simple adulación.

Yo le dije: "hace un par de semanas lo escuché hablar en la Reunión de la Asociación Seigel Home Town y, en mi opinión, usted hizo uno de los mejores discursos que jamás haya escuchado. Esa no fue solo mi opinión. Ojalá usted hubiera escuchado algunos de los buenos comentarios que yo escuché de parte de nuestros miembros después de que usted terminó".

¿Estaba agradado? ¡Sin duda, él estaba muy emocionado! Le pregunté cómo había empezado a dar conferencias. Habló por un rato y, cuando me fui, me dijo: "vega a verme cuando quiera, señor Bettger". Después de varios años, este hombre logró desarrollar una gran carrera como abogado. De hecho, llegó a ser uno de los abogados más exitosos de la ciudad. Yo mantuve un estrecho contacto con él y, conforme él iba creciendo y prosperando, pude hacer más y más negocios con él. Nos hicimos muy buenos amigos y él se convirtió en uno de mis mejores centros de influencia.

Por último, él llegó a ser el abogado de empresas como Compañía Pennsylvania Sugar Refining, Compañía Midvale (de acero) y la Compañía Horn & Hardart (de banca). Fue elegido miembro de la junta directiva de algunas de estas empresas. Tiempo después, renunció a su práctica como litigante y aceptó uno de los honores más altos que alguien pueda recibir de parte de su estado: fue nombrado juez de la Corte Suprema del Estado de Pennsylvania. Su nombre era H. Edgar Barnes.

Nunca dejé de decirle a Edgar Barnes cuánto creía en él. Él solía hablarme a nivel muy confidencial acerca de su progreso. Compartí su felicidad con él y más de una vez le dije: "siempre supe que llegarías a ser uno de los abogados más prominentes de Filadelfia". Barnes nunca me lo mencionó directamente, pero comentarios hechos por amigos que teníamos en común me daban la sensación de que su notable éxito tenía un poco que ver con el estímulo que yo le había dado en el transcurso de su vida.

¿A las personas les gusta que demuestres confianza en ellas y que esperas grandes cosas de ellas? Si tu interés es sincero, no sé qué otra cosa puedan apreciar más. Se habla mucho acerca de personas que mueren de hambre en Europa y China, pero hay millones de personas que mueren de hambre aquí en Estados Unidos. Hay miles de personas justo en tu ciudad y en la mía que están hambrientas, ¡tienen hambre de un elogio sincero y de aprecio!

Hace muchos años, Abraham Lincoln escribió algo respecto a cómo ganar amigos. Es viejo, pero me ha ayudado tanto que lo voy a repetir aquí:

Si has de ganar a alguien para tu causa, primero convence a esa persona de que eres su amigo sincero. Esto es una gota de miel que atrapa su corazón, lo cual, a su vez, es el camino hacia su razón. Cuando la hayas ganado, no tendrás muchas dificultades para convencer su apreciación respecto a justicia de tu causa, si ésta es en realidad una causa justa.

Hace años, me refirieron a un joven empleado que trabajaba en La Compañía Girard Trust, localizada en las calles Broad con Chestnut, en Filadelfia. En ese entonces, él tenía veintiún años de edad. Logré hacerle una pequeña venta. Un día después de que haber llegado a conocerlo mejor, le dije: "Clint, llegará el día en el que vas a ser el presidente de la Compañía Trust Girard o uno de sus altos funcionarios". Él se rió de mí, pero yo insistí: "no, lo digo en serio. ¿Por qué no? ¿Qué te puede detener? Tienes todas las cualidades naturales. Eres joven, ambicioso y tienes una muy buena apariencia. Tienes una gran personalidad. Recuerda que todos los altos funcionarios de este banco en algún momento fueron simples empleados. Llegará el día en el que ellos fallecerán o se jubilarán. Alguien tendrá que tomar su lugar. ¿Por qué no ser uno de ellos? ¡Lo lograrás si te lo propones!".

Le animé a que tomara un curso avanzado sobre banca, así como un curso de oratoria. Y así fue, él tomó los cursos. Un día, los empleados fueron convocados a una reunión, y uno de los principales funcionarios les comunicó un problema que estaba enfrentando el banco. Dijo que las directivas querían el beneficio de escuchar sugerencias de los empleados.

Mi joven amigo, Clinton Stiefel, se puso de pie en esa reunión y expuso sus ideas respecto al problema. Presentó su charla con tanta confianza y entusiasmo, que todos quedaron sorprendidos. Sus amigos se reunieron en torno a él después de la reunión, lo felicitaron y dijeron que estaban sorprendidos de que él pudiera hablar tan bien.

Al día siguiente, el funcionario que había convocado a la reunión llamó a Clint a su despacho, le dio un gran cumplido y dijo que el banco iba a adoptar una de sus sugerencias.

En poco tiempo, Clint Stiefel fue nombrado jefe de un departamento. ¿Dónde está hoy? Clinton S. Stiefel es vicepresidente de la Compañía Provident Trust, una de las instituciones bancarias más antiguas y más reconocidas de Pennsylvania.

El señor Stiefel se da a la tarea de recomendarme a otras personas, y en ocasiones, cuando ha comprado algún seguro conmigo, no he tenido que preocuparme por la competencia.

Hace muchos años fui a ver a dos amigos míos que eran unos prometedores jóvenes empresarios, pero parecían estar deprimidos. Así que les di una charla de ánimo. Les dije todos los buenos comentarios que solía escuchar acerca de que ellos estuvieran en la industria, incluyendo grandes preocupaciones de parte de empresas con una larga trayectoria, ¡sus competidores! Les recordé cómo habían comenzado en una habitación tan solo cinco años antes. Les hice esta pregunta: "¿cómo empezaron esta empresa?". Esto los hizo reír a ambos y empezaron a hablar sobre sus primeras dificultades. Algunas que nunca antes había oído. Les dije que fuera de ellos, no conocía a nadie en su línea de negocio que tuviera una perspectiva más brillante para el futuro. El escuchar que sus competidores ahora los consideraban como líderes en su industria pareció revivir su espíritu. Quizás lo sabían, pero era evidente que nadie les había dado un elogio durante mucho tiempo, ¡eso era justo lo que necesitaban!

Al salir, el más joven de los dos, con su brazo por encima de mi hombro, me acompañó al ascensor. Cuando entré en el ascensor, se rió y dijo: "Frank, ven todos los lunes por la mañana y danos una charla de ánimo, ¿lo harás?".

Volví a visitarlos muchas veces a lo largo de los años y les daba charlas de ánimo, así como charlas acerca de lo que vendía. Estos hombres siguieron creciendo y prosperando con su empresa, y los negocios que hice con ellos también crecieron.

El leer acerca de algunos grandes hombres de la historia me ha inspirado, pero mi mayor inspiración, y algunas de las mejores ideas que he aprendido, han venido de personas con quienes he hecho negocios y amigos que he conocido. Cuando he sacado provecho de sus ideas, he hecho gran énfasis en informarles al respecto. Veo que a las personas les gusta saber que te han ayudado. Permíteme dar un ejemplo:

En una ocasión me encontraba hablando con Morgan FI. Thomas, quien en ese entonces era el gerente de ventas de la Compañía de Papel Garrett-Buchanan, localizada en el 116 de la calle South Sixth, en Filadelfia. Yo le dije: "Morgan, tú has sido de gran inspiración para mí. Me has ayudado a ganar más dinero y a tener una mejor salud".

¿Me creyó? Él dijo: "¿qué estás tratando de hacer, estás bromeando?". "No", le dije, "quiero decir exactamente eso.

Hace unos años, tu presidente, el señor Sinex, me dijo que comenzaste a trabajar aquí cuando eras solo un niño y que debías llegar a las siete en punto de la mañana para barrer el lugar antes que llegaran los demás empleados. 'Ahora', dijo él, 'Morgan es gerente de ventas, pero aun así llega a las siete de la mañana. ¡Sigue siendo la primera persona en llegar a este sitio todos los días!'".

"Bueno, pensé yo, si llega a las siete en punto, eso significa que Morgan Thomas debe levantarse, a más tardar, a las seis. Y si puede levantarse a las seis de la mañana y verse tan bien como él, entonces voy a intentarlo. Y así lo hice. Me uní al 'Club de las seis en punto', Morgan. Me siento mejor que nunca antes en mi vida y logro hacer muchas cosas. Me has ayudado a ganar más dinero".

Sé que al señor Thomas le agradó escucharme decir que me había ayudado.

En la actualidad, Morgan Thomas es el presidente de la Compañía de Papel Garrett-Buchanan, el segundo distribuidor más grande de productos de papel en los Estados Unidos. Morgan es uno de mis mejores clientes, y he tenido la oportunidad de vender mis productos a la mayoría de funcionarios importantes de esa reconocida organización.

La siguiente es una pregunta que he utilizado en innumerables ocasiones: "¿cómo comenzó en este negocio, señor Roth?".

Por lo general, la respuesta será: "bueno, es una larga historia". Cuando un hombre comienza a abrirse y a hablar de su propia empresa, siempre me fascina escuchar cómo empezó. Sus pequeños comienzos, sus muchas dificultades y como las superó. Para mí es como un gran romance. Para él es como un romance mucho mayor. Esta persona rara vez encuentra a alguien que se interese lo suficiente como para querer escuchar toda la historia. Pero si lo animas, con gusto te contará su historia. En ocasiones, si realmente estás interesado y, al parecer, te beneficias con sus experiencias, te dará más detalles.

Después la conversación, tomo notas de varios aspectos: dónde nació, el nombre de su esposa, los nombres de sus hijos, sus ambiciones y pasatiempos. Tengo archivos con esta información guardada en tarjetas desde hace veinte y cinco años.

A veces las personas quedan sorprendidas de que recuerde tantos detalles de ellos. El haberme interesado genuinamente en las personas ha sido de gran ayuda para iniciar muchas amistades cercanas y duraderas.

Esta pregunta parece tener algo mágico: "¿cómo comenzó en este negocio?" Con frecuencia me ha ayudado a tener entrevistas favorables con clientes potenciales difíciles de convencer y demasiado ocupados para verme. Veamos una experiencia típica. La siguiente es una entrevista real con un ocupado fabricante de tanques de madera que, al parecer, en su mente solo tenía algo claro respecto a los vendedores: deshacerse de ellos.

Yo: señor Roth, ¡buenos días! Mi nombre es Bettger, trabajo con la Compañía de seguros de vida Fidelity Mutua. ¿Conoce usted al señor Walker, Jim Walker? *(entregándole una tarjeta de presentación para él con una nota personal de Jim Walker).*

Roth *(poco agradado... le da un vistazo a la tarjeta... la arroja sobre el escritorio y dice enfadado)*: ¿es usted otro vendedor?

Yo: sí, pero...

Roth *(interrumpiéndome antes de que pueda decir otra palabra)*: usted es el décimo vendedor que ha estado aquí

147

hoy. Tengo cosas demasiado importantes por hacer. No puedo estar escuchando a vendedores todo el día. ¡No me moleste! ¡No tengo el tiempo!

Yo: solo pasé un momento para presentarme, señor Roth. El propósito de mi visita es acordar una cita con usted para mañana o más tarde en la semana. ¿Cuándo es un mejor momento para hacerle una visita de veinte minutos, temprano en la mañana o en la tarde?

Roth: ¡ya le dije que no tengo tiempo para dedicarlo a los vendedores!

Yo *(pasa todo un minuto mientras examino atentamente uno de sus productos que se encuentra en el piso)*: ¿usted hace esto, señor Roth?

Roth: sí.

Yo *(otro minuto mirando)*: ¿cuánto tiempo lleva en este negocio, señor Roth?

Roth: ah... veintidós años.

Yo: ¿cómo comenzó en este negocio?

Roth *(se inclina hacia atrás en su silla y comienza a calentar)*: bueno, es una larga historia. Trabajé para la Compañía John Doe cuando tenía diecisiete años, allí me abrí camino durante diez años, pero no estaba llegando a ningún lado, así que la idea de independizarme me llamó la atención.

Yo: ¿usted nació aquí en Cheltenham, señor Roth?

Roth *(calentando aún más)*: no. Nací en Suiza.

Yo (agradablemente sorprendido): ¿habla en serio? Debió haber venido acá cuando era muy joven.

148

Roth *(muy amable... y sonriendo)*: bueno, me fui de casa a la edad de catorce años. Viví en Alemania por un tiempo. Luego decidí que quería venir a Estados Unidos.

Yo: debió necesitar mucho capital para poner en marcha una planta tan grande como esta.

Roth *(sonriendo)*: bueno, comencé esta con $300 dólares, ¡pero logré desarrollarla hasta más de $300.000 dólares!

Yo: debe ser muy interesante ver cómo se hacen estos tanques.

Roth *(poniéndose de pie, se acerca al tanque que estoy observando)*: sí, estamos muy orgullosos de nuestros tanques. Creemos que son los mejores del mercado. ¿Le gustaría recorrer la planta y ver cómo se hacen?

Yo: ¡me encantaría!

(Roth pone su mano en mi hombro y me lleva hacia la planta).

Este hombre se llama Ernest Roth, y es el principal propietario de Ernest Roth & Sons, en Cheltenham, Pennsylvania. En esa primera visita no le vendí nada. Pero a lo largo de un período de dieciséis años, le he hecho diecinueve ventas a él y a seis de sus siete hijos, las cuales han representado un buen pago para mí, y me permitieron formar una poderosa y alegre alianza con él.

Recordatorios de bolsillo

1. "Si has de ganar a alguien para tu causa, primero convence a esa persona de que eres su amigo sincero..." —Lincoln.

2. Anima a los jóvenes. Ayuda a que los demás vean cómo pueden tener éxito en la vida.

3. Trata de hacer que las personas te cuenten cuál es su mayor ambición en la vida. Ayúdales a levantar su mirada.

4. Si alguien te ha inspirado o te ha ayudado de alguna manera, no guardes el secreto. Cuéntale al respecto.

5. Pregunta: "¿cómo comenzó en este negocio?", luego sé un buen oyente.

21

Cuando hice esto empecé a ser más bienvenido en todas partes

Cuando era joven, tenía un gran defecto que habría significado un fracaso seguro si no hubiera encontrado la manera de corregirlo rápidamente. Tenía la expresión más desagradable que jamás pudieras ver en la vida, y todavía tengo un viejo daguerrotipo para probarlo. Esto tenía una razón.

Mi padre murió cuando yo era un niño, así que mi madre quedó con cinco hijos pequeños, y no tenía ningún seguro. Mamá tuvo que trabajar lavando y cosiendo para alimentarnos, vestirnos y tratar de mantenernos en la escuela. Esto fue durante los "felices años 90", aunque en realidad no fueron muy alegres para nosotros. Nuestra pequeña casa siempre estaba fría, nunca tuvimos calefacción en ninguna parte, excepto en la cocina, y ni siquiera teníamos una alfombra en el piso. En aquellos días las epidemias entre los niños eran desenfrenadas. Viruela, escarlatina, fiebre tifoidea, difteria, etc., al parecer uno o más de nosotros siempre estaba enfermo con algo. Perseguida constantemente por la enfermedad, el hambre, la pobreza y la muerte, mi madre perdió a tres de sus cinco hijos durante estas epidemias. Por esto entenderás que rara vez teníamos algo por lo cual sonreír. De hecho, en realidad nos daba miedo sonreír y parecer felices.

Poco después de que empecé a trabajar como vendedor, descubrí que una expresión facial de amargura y de preocupación generaba resultados que eran casi infalibles: un público no deseado y fracaso.

No tardé mucho tiempo en llegar a comprender que tenía un grave obstáculo que debía superar. Sabía que no iba a ser fácil cambiar esa expresión de preocupación, debido a tantos años de dificultades. Esto implicaba un cambio completo en mi manera de ver la vida. Este es el método que implementé. Comenzó a mostrar resultados de inmediato en mi casa, a nivel social y en los negocios.

Cada mañana, durante un vigoroso baño de quince minutos, decidía cultivar una sonrisa grande y feliz, solo durante esos quince minutos. Sin embargo, pronto descubrí que no podía ser una sonrisa ficticia o comercial, creada únicamente con el fin de poner dólares en mi bolsillo. Debía ser una sonrisa genuina y bondadosa, proveniente de muy adentro, ¡una expresión externa de felicidad interior!

No, al comienzo no fue fácil. Una y otra vez, durante ese entrenamiento de quince minutos, me sorprendí a mí mismo teniendo pensamientos de duda, miedo y preocupación. ¿Cuál era el resultado? ¡Nuevamente, la vieja expresión de preocupación! Una sonrisa y una preocupación no se pueden mezclar, así que volvía a obligarme a sonreír. Así volvían el ánimo y los pensamientos optimistas.

Aunque durante un tiempo no lo comprendí, esta experiencia parece confirmar la teoría del gran filósofo y maestro de Harvard, el profesor William James: "la acción parece seguir los sentimientos, pero en realidad la acción y los sentimientos van de la mano y, al dominar la acción, la cual está bajo un control más directo de la voluntad, de forma indirecta podemos regular los sentimientos".

Veamos cómo el haber comenzado con buen entrenamiento de los músculos de la sonrisa durante quince minutos me ayudó durante el día. Antes de entrar a la oficina de alguien, yo hacía una pausa y pensaba en las muchas razones que tenía para estar agradecido, y trabajar con una gran sonrisa grande, honesta y bondadosa. Luego entraba con la sonrisa desapareciendo de mi cara. Después era fácil generar una sonrisa grande y feliz. Pocas veces fallé en obtener el mismo tipo de sonrisa de vuelta por parte de la persona que conocía al entrar. Cuando la señorita secretaria ingresaba a la oficina de su jefe para anunciarme, yo tenía la certeza de que ella reflejaba parte de las sonrisas que habíamos intercambiado en la recepción, ya que por lo general ella volvía todavía con esa sonrisa.

Asumamos por un momento que yo llegara con cara de preocupación o con una sonrisa forzada, ya sabes, ese es el tipo de sonrisas que desaparecen de inmediato, ¿no crees que la expresión de la secretaria prácticamente le habría dicho al jefe que no me viera? Luego, al entrar a la oficina del jefe, para mí era natural darle una alegre sonrisa mientras le decía: "¡señor Livingston! ¡Buenos días!".

He visto que las personas se sienten complacidas cuando las veo en la calle y les doy una gran y alegre sonrisa y me limito a decirles: "¡señor Thomas!". Para ellos, eso significa mucho más que el acostumbrado: "buenos días... ¿cómo está?... hola". Si conoces bien a la persona, trata de llamarla por su primer nombre "Bill" y de darle una gran, gran sonrisa.

¿Alguna vez has notado que las oportunidades van con aquellas personas que tienen una sonrisa entusiasta y sincera, y que con mucha frecuencia van en contra de quienes se ven insatisfechos, descontentos y melancólicos?

Mediante pruebas reales, las compañías telefónicas han demostrado que la voz con una sonrisa gana. Toma el teléfono ahora mismo, inicia la conversación con una gran sonrisa y sentirás la diferencia. Una buena idea podría ser que alguien inventara un espejo para que fuera adjunto al teléfono, así podríamos ver la diferencia.

En mis conferencias, les he pedido a miles de hombres y mujeres de todo el país que hagan la promesa de, durante treinta días, dar su mejor sonrisa a todo ser viviente que vean. Sin mayor problema, el 75 por ciento de las personas de cada audiencia han levantado su mano voluntariamente. ¿Y cuál ha sido el resultado? Cito una carta que recibí de un hombre de Knoxville, Tennessee. Es una carta típica de las muchas que he recibido:

Mi esposa y yo habíamos acordado divorciarnos. Por supuesto, yo pensaba que ella tenía la culpa. A los pocos días después de haber empezado a poner esta idea en acción, la felicidad fue restaurada en mi casa. Luego vi que no me estaba yendo bien en los negocios debido a mi actitud hosca. Al terminar el día, volvía a casa y me desquitaba con mi esposa e hijos. Todo era mi culpa y no de mi esposa. Soy un hombre totalmente diferente a quien era hace un año. Soy más feliz porque también he hecho felices a los demás. Ahora todo el mundo me saluda con una sonrisa. Además, mi empresa ha mostrado una sorprendente mejoría.

Este hombre estaba tan entusiasmado con los resultados que obtuvo al sonreír, ¡que siguió escribiéndome al respecto durante varios años!

Dorothy Dix dijo: "dentro de todo el arsenal femenino no hay ninguna arma a la cual los hombres sean tan vulnerables como lo es una sonrisa... Es una verdadera lástima que las mujeres no hagan énfasis en el buen ánimo, ya sea como virtud o como un deber, porque ninguna otra cualidad le aporta tanto al éxito de un matrimonio ni logra mantener cerca un esposo. No hay ningún hombre que no se apresure por llegar a casa en la noche si sabe que lo está esperando una mujer cuya sonrisa lo ilumina todo".

Sé que puede parecer increíble que ellas puedan cultivar felicidad con una sonrisa, pero inténtalo durante treinta días. Dale a cada alma viviente que veas la mejor sonrisa que tengas en tu vida, incluso a tu esposa e hijos, y mira lo bien que se siente y se ve. Es uno de los mejores métodos que conozco para dejar de preocuparse y empezar a vivir. Cuando comencé a hacerlo, vi que era más bienvenido en todas partes.

22

Cómo aprendí a recordar nombres y rostros

Un año di un curso sobre ventas en el YMCA Central localizado en el 1421 de la calle Arch en Filadelfia. Durante el curso, invitamos a un experto en memoria para que nos diera tres noches de entrenamiento en memorización. Ese entrenamiento me hizo ver la importancia de recordar el nombre de una persona.

Desde ese entonces, he leído libros y escuchado varias conferencias acerca del tema. Algunas de las ideas que he aprendido las he tratado de aplicar en contactos de negocios y sociales. Vi que tenía menos dificultad para recordar nombres y caras cuando tenía presentes estos tres puntos que la mayoría de expertos enseñan:

1. Impresión. 2. Repetición. 3. Asociación

Si se te dificulta recordar estas tres reglas, haz lo que yo hice, la siguiente es una pequeña y sencilla idea que impidió que olvidara nombres y rostros. Solo pensaba en el nombre Ira. I-R-A son las primeras letras de las tres palabras mencionadas. Tomemos algo de tiempo para analizar cada una:

1. Impresión

Los psicólogos dicen que la mayoría de nuestros problemas de memoria, en realidad, no son problemas de memoria, sino de observación. Supongo que en gran parte ese era mi problema. Al parecer, yo le prestaba mucha atención al rostro de la persona, pero por lo general no lograba memorizar su nombre. O no escuchaba el nombre al presentarse o no podía escucharlo con claridad. ¿Adivina qué hacía cuando eso sucedía? Tienes razón. ¡Nada! Simplemente lo pasaba por alto como si el nombre no significara nada para mí. Pero, si la otra persona no le prestaba ninguna atención a mi nombre, entonces me sentía ofendido. Si de verdad se interesaba en mi nombre, me aseguraba de que lo tuviera bien, nunca estaba satisfecho. La importancia de esta primera norma me impresionó tanto que comencé a considerarla como una descortesía imperdonable si no podía escuchar con atención y memorizar el nombre correctamente.

¿Cómo puedo tener bien el nombre? Si no escuchas el nombre con claridad, está muy bien decir: "¿puede repetirme su nombre?" Y si aun así no logras estar seguro de haberlo entendido bien, no hay problema en decir: "lo siento, ¿podría deletrearlo?". ¿Será que la otra persona se siente ofendida por tu interés genuino en saber su nombre? Nunca he sabido que eso suceda.

Así que el primer punto que me ayudó a recordar nombres y rostros fue olvidarme de mí mismo y concentrarme lo que más podía en la otra persona, su rostro y su nombre. Esto me ayudó a superar el pensar en mí mismo cuando conocía por primera vez a alguien.

Se dice que el ojo toma una fotografía mental de lo que vemos y observamos. Esto es fácil probarlo porque puedes cerrar los ojos y recordar el rostro de un desconocido con tanta claridad como si estuvieras mirando una foto de esa persona. Lo mismo sucede con un nombre.

Me sorprendió cuán poca dificultad tuve para recordar nombres y rostros cuando hice un gran esfuerzo por observar el rostro de una persona y tener una impresión clara y vívida de su nombre.

2. Repetición

¿Olvidas el nombre de alguien dentro de los diez segundos después de conocer a esa persona? Yo sí, a menos que lo repita varias veces rápidamente mientras aún está fresco en mi mente. Podemos repetir su nombre de inmediato: "¿cómo se encuentra, señor Musgrave?".

Luego, durante la conversación, me ayuda mucho usar su nombre de alguna manera: "¿usted nació en Des Moines, señor Musgrave?". Si es un nombre difícil de pronunciar, es mejor no evitarlo. La mayoría de personas lo hacen. Si no sé cómo pronunciar un nombre, simplemente pregunto: "¿estoy pronunciando correctamente su nombre?". Veo que a las personas les agrada ayudarte a recordar bien su nombre. También les agrada si hay otras personas presentes, eso también hace que para ellos sea más fácil entender el nombre y recordarlo.

Ahora, después de hacer esto, quedarás muy mal si olvidas el nombre de alguien y, para mí, es fácil hacerlo, a menos que repita el nombre en voz baja varias veces durante la conversación además de pronunciarlo en voz alta.

Así mismo, si quieres asegurarte de que la otra persona recuerde tu nombre, por lo general también puedes encontrar una oportunidad para repetir tu propio nombre, tal vez algo como esto: "... y él me dijo, 'señor Bettger, acabamos de tener uno de nuestros mejores años'".

Con frecuencia, después de terminar una conversación con alguien, escribo el nombre de esa persona tan pronto tengo la oportunidad. Es una gran ventaja el solo ver el nombre escrito.

Una situación difícil para cualquier persona es cuando conoce a varias personas al mismo tiempo. La siguiente es una idea muy útil que adopté de mi amigo Henry E. Strathmann, un reconocido proveedor de suministros de construcción y comerciante de carbón en Filadelfia.

Henry tenía mala memoria, pero cultivó una habilidad tan extraordinaria para recordar nombres, rostros y hechos, que ahora su pasatiempo es hacer presentaciones en grandes reuniones para demostrar sus métodos. Permíteme citar al señor Strathmann:

Cuando conozcas un grupo de personas, trata de recordar tres o cuatro nombres al mismo tiempo y toma unos segundos para asimilarlos antes de intentar con el siguiente grupo. Trata de crear una oración con algunos de sus nombres, para fijarlos en tu mente. Ejemplo: la semana pasada en una cena, identifiqué unas cincuenta personas en un grupo de hombres y mujeres, los invitados a una mesa los presentó el maestro de ceremonias. Estos eran sus apellidos: "Castillo"... "Ochoa"... "Casas"... "Fajardo"... "Arias". Fue fácil hacer una frase y, después, al identificar a las personas, les mostré el poder de la asociación con lo siguiente: "esto me hace recordar una adinerada familia de apellido Fajardo, ellos eran propietarios de un Castillo cuya Área era de ocho mil metros cuadrados, en la propiedad tenían varias Casas. La Cámara mostró que era un Goodwin... Esto es muy efectivo y así recuerdas los nombres por mucho tiempo. No siempre tienen un orden, pero si no prestas atención, es sorprendente la frecuencia en la que ocurren. En grupos de uno o dos, es muy fácil traer a la mente muchos juegos de palabras que te ayudan a mantener fresca la impresión.

Hace poco usé esta idea en ventaja propia. Me reuní con un comité de cuatro odontólogos. El presidente, el doctor Howard K. Mathews, me presentó. Él dijo: "señor Bettger, este es el doctor Prada, el doctor Laverde y el doctor Cabezas". Mientras lo hacía, me imaginé que el discípulo San Mateo había resucitado como un destacado odontólogo y servía como presidente de este comité. La esposa del doctor Mathews quería comprar una propiedad en Las verdes praderas cercanas a la ciudad, pero la sola idea le hacía doler la cabeza.

Crear frases con historias tontas me ayudó a recordar y usar el nombre de cada doctor durante la reunión. Así como Henry Strathmann me dijo, veo que estas imágenes las recuerdo por mucho tiempo.

¿Alguna vez has quedado avergonzado por no poder presentar a alguien, porque por un momento no logras recordar el nombre de una persona? No conozco ninguna fórmula que ayude a superar algo así. Sin embargo, hay varios métodos que me han ayudado a mejorar mi capacidad de recordar nombres con mayor facilidad.

Primero, no seas demasiado ansioso. Esto puede sucederle a cualquiera y, de hecho, sucede con frecuencia. Creo que lo mejor es reírte de ello y admitir con franqueza que estás entrando en pánico. En una ocasión, Groucho Marx se rió diciendo: "nunca olvido un rostro, ¡pero en tu caso haré una excepción!".

Segundo, siempre que te encuentres con alguien que conoces, llámalo por su nombre. Di: "¡señor Follansbee! o ¡Charles!" en lugar de solo decir "hola" o "¿cómo está?". Luego, después de que se ha ido, repite mentalmente su nombre completo un par de veces: "Charles L. Follansbee... Charles L. Follansbee".

Dado que a las personas les gusta escuchar sus nombres, ¿por qué no formar el hábito de llamar a todo el mundo por su nombre en cada oportunidad que tengas?, ya sea el presidente de tu empresa, un vecino, un limpiabotas, un camarero, un *caddie* o un auxiliar de vuelo. Nunca dejo de sorprenderme con la diferencia que esto causa en las personas. Y he visto que, conforme llamo a más personas por su nombre, mi capacidad de recordar nombres va mejorando.

Tercero, siempre que sea posible, toma tiempo de antemano para familiarizarte con un nombre. Los expertos en memorización lo hacen. Antes de hablar en un almuerzo o cena, ellos obtienen una lista de miembros de la organización y estudian los nombres y las empresas. Luego, durante la reunión, el experto le pide a uno de los miembros que le diga quiénes son cada uno de los miembros dentro del público. Cuando se pone en pie, sorprende a todos con su capacidad para identificar a los miembros, diciendo el nombre completo de cada persona y su empresa.

Nosotros podemos usar la misma idea a una escala menor. Esto es lo que quiero decir. Hace años, cuando era miembro y asistía con regularidad al Club Ben Franklin y el Club Optimist, me avergonzaba mi incapacidad de hablar con los miembros, personas que no conocía por sus nombres. Así que comencé a crear el hábito de revisar la lista de miembros antes de asistir a las reuniones. En poco tiempo, gané tanta confianza con mi nueva habilidad de recordar nombres de inmediato, que me encontré yendo por todas partes y estrechando manos de muchas personas en lugar de evitarlas. Comencé a crear amistades con estos hombres en lugar de simplemente asentir con algo de conocimiento.

El verdadero secreto de la repetición está en los intervalos. Haz una lista de personas o cualquier cosa que quieras recordar y repásala brevemente antes de irte a dormir, al día siguiente, a primera hora en la mañana, el día siguiente y, de nuevo, la próxima semana. Creo que puedes recordar casi cualquier cosa si tan solo la repites con suficiente frecuencia y en intervalos.

3. Asociación

Ahora, ¿cómo puedes retener lo que quieres recordar? Sin duda, la asociación es el factor más importante.

A veces nosotros mismos podemos quedar sorprendidos por nuestra capacidad de recordar eventos que sucedieron en nuestra primera infancia, cosas en las que no habíamos pensado desde entonces y que, al parecer, habíamos olvidado. Por ejemplo, hace poco llegué en mi auto a una gran estación de servicio en Ocean City, Nueva Jersey, para comprar algo de gasolina. El propietario de la estación me reconoció, aunque habían pasado más de cuarenta años desde que nos conocimos. Estaba apenado porque ni siquiera podía recordar si alguna vez había visto a ese hombre. Ahora, mira como comenzó a operar el poder de la asociación.

"Soy Charles Lawson", dijo el hombre ansiosamente. "Estudiamos juntos en la escuela James G. Blaine Grammar".

Bueno, su nombre no me sonaba familiar y, si no me hubiera llamado por mi nombre, yo habría estado seguro de que estaba equivocado. También mencionó la escuela a James C. Blaine Grammar. Pero yo seguía en blanco, así que él continuó: "¿recuerdas a Bill Green?... ¿te acuerdas de Harry Schmidt?".

"¡Harry Schmidt! Claro que sí", respondí. "Harry es uno de mis mejores amigos".

"¿No recuerdas aquella mañana en la que cerraron la escuela Blaine debido a una epidemia de viruela y muchos de nosotros salimos al parque Fairmount e hicimos equipos para un juego de pelota? Tú y yo jugamos en el mismo equipo. Tú jugaste como parador de cortos y yo jugué en segunda base".

"¡Chuck Lawson!" Grité mientras salía de un salto de mi auto. Le di la mano con fuerza. Chuck Lawson había usado el poder de la asociación, ¡y funcionó como magia!

Cómo ayudar a que los demás recuerden tu nombre

¿A las personas se les dificulta recordar tu nombre? Una vez pensé esto: "mira, Bettger, tienes una extraña forma de decir tu nombre. ¿Por qué no ayudas un poco a los demás? Con un poco de imaginación, llegué a esta idea: cuando alguien o yo mismo me presentaba, repetía mi nombre, y luego, con una sonrisa, decía: "se pronuncia ¡bet-ger!, Bettger". Esto por lo general genera una sonrisa y la persona lo repite: "¡bet-ger!". Si se trata de una presentación en un entorno de negocios: "seguros ¡bet-ger!... Bettger". Cuando le digo mi nombre por teléfono a alguien con quien no he tenido contacto por varios meses, el operador de telefonía o la secretaria suele decirme: "ahh, sí, señor ¡bet-ger!".

Creo que la mayoría de personas sí quieren recordar tu nombre, y se sienten mal cuando no pueden hacerlo, pero les agradará si puedes sugerir una forma fácil para que lo entiendan y lo recuerden.

Cuando nos encontremos con alguien a quien no hemos visto por mucho tiempo, creo que lo mejor es mencionar nuestro propio nombre de inmediato. Por ejemplo: "¿cómo está usted, señor Jones?, Tom Brown es mi nombre. Solía verlo con frecuencia en el Penn A. C.". Esto evita cualquier vergüenza. Veo que esto les agrada a las personas.

A menudo, la otra persona te ayudará a recordar su nombre si lo preguntas con franqueza. Permíteme dar un ejemplo típico: hace poco conocí a muchas personas en Tulsa, Oklahoma. El nombre de uno de ellos, S.R. Clinkscales, me estaba dando problemas. Si revisamos nuestra presentación, podemos tener una ilustración de cómo él me facilitó el poder recordar su nombre:

Bettger: ¿puede repetirme su nombre?

(El desconocido repitió su nombre, pero me sonaba algo así como "Clykztuz").

Bettger: lo siento, ¿podría deletrearlo?

Desconocido: C-l-i-n-k-s-c-a-l-e-s.

Bettger: Clinkscales. Ese es un nombre poco común. No creo haberlo escuchado antes. ¿Hay alguna manera para poder recordarlo con facilidad?

¿Esto lo ofendió? No, en lo más mínimo. Sonriendo dijo: "imagínese un sonido agudo metálico seguido de una escala... ¡Clink-Scales!".

¿Tonto? ¡Seguro que sí! Por eso es bueno. Él me dio una imagen de acción. Para mí sería imposible olvidarlo a él o su nombre, ¡Clink-Scales!

Tiempo después, inesperadamente, me encontré con "Clink" en Enid, Oklahoma, y lo saludé al instante por su nombre. "Clink" estaba muy complacido y, por supuesto, yo también.

Si me resulta difícil dominar un nombre en especial, indago acerca de su historia. Muchos nombres extranjeros tienen una historia romántica. Cualquier persona prefiere hablar acerca de su nombre que del clima y es mil veces más interesante.

A veces, la recompensa por recordar nombres está fuera de toda proporción con respecto al esfuerzo extra que hiciste para poder hacerlo. Un viejo amigo mío que es demasiado modesto como para dejarme usar su nombre, me dijo que se había aprendido el nombre de todos los gerentes de las 441 tiendas de la cadena "X". Él llamaba a cada gerente por su primer nombre. Es más, se esforzó por conocer los nombres de sus esposas e hijos. Cuando nacía un nuevo bebé o cada vez que había una enfermedad o algún problema, Bill se acercaba para ver si podía ayudar.

Bill había venido a los Estados Unidos procedente de Irlanda a la edad de diecinueve años y tomó un empleo barriendo una de las tiendas de la cadena y manteniéndola limpia. Años después, llegó a ser el vicepresidente de la empresa y se retiró siendo un hombre rico a la edad de cincuenta y dos años.

El recordar los nombres y las caras no fue lo que hizo que Bill llegara a ser el vicepresidente, pero él cree que ese fue uno de los peldaños más importantes en la escalera.

Le pregunté si alguna vez había tomado un curso sobre memorización. "No" respondió riéndose. "Al principio, cuando mi memoria no era tan buena, yo llevaba un cuaderno grande. Al tener conversaciones comunes y corrientes con el gerente de una tienda, me enteraba de los nombres de los miembros de su familia e incluso las edades de sus hijos. Tan pronto salía y subía a mi auto, escribía los nombres y cualquier otro dato interesante. Después de algunos años, rara vez he tenido la necesidad de acudir a mis notas, excepto con los empleados más nuevos".

En mi trabajo como vendedor, he encontrado que es un gran activo recordar no solo los nombres de los clientes y de los clientes potenciales, sino también los de las secretarias, operadores de telefonía y otros asociados. El hablarles usando su nombre hace que se sientan importantes. ¡Ellos son importantes! De hecho, es difícil sobreestimar la importancia de su amistosa colaboración.

Me sorprende que la gran cantidad de personas que me dicen que no pueden recordar nombres constantemente se sienten preocupados por esto, pero al parecer también sienten que no pueden hacer nada al respecto. ¿Por qué no hacer que esto sea un pequeño pasatiempo secreto? En un tiempo relativamente corto, te encontrarás disfrutando de una mejor memoria para los nombres y los rostros de lo que nunca imaginaste. Lleva contigo durante una semana una tarjeta de tres por cinco con las siguientes tres reglas escritas en ella. Decide aplicar estas reglas solo por una semana:

1. Impresión. Ten una clara impresión de su nombre y su rostro.

2. Repetición. Repite su nombre a intervalos cortos.

3. Asociación. Asócialo con una imagen de acción, si es posible, incluye el negocio de la persona.

23

La mayor razón por la cual los vendedores pierden negocios

Cuando Mark Twain pilotaba barcos recorriendo el Mississippi, el Ferrocarril Rock Island decidió construir un puente que conectara la gran extensión entre Rock Island, Illinois, y Davenport, Iowa. Las compañías de barcos a vapor estaban gozando de un gran y próspero comercio. El trigo, las carnes curadas y otros productos adicionales que nuestros primeros colonos podían producir eran encaminados hacia el Mississippi mediante yuntas de bueyes y carruajes de ruedas altas, para luego ser enviados por el río. Los propietarios de barcos a vapor eran demasiado celosos con sus derechos para transportar por el río, los consideraban como si fueran dados por Dios.

Ante el temor de una competencia seria, si el ferrocarril tenía éxito en la construcción del puente, iniciaron una orden judicial en los tribunales para impedir su construcción. El resultado: una gran demanda. Los adinerados propietarios de barcos de vapor contrataron al Juez Wead, abogado de asuntos fluviales más conocido en los Estados Unidos. Este caso llegó a ser uno de los más importantes en la historia del transporte.

El día de cierre del juicio, el tribunal estaba totalmente lleno. El juez Wead, haciendo su último discurso ante el tribunal, mantuvo embelesada a la multitud durante dos horas. Incluso insinuó una disolución del sindicato debido a esta fuerte polémica. Al término de su discurso, se escuchó un fuerte aplauso en todo el recinto del palacio de justicia.

Cuando el abogado del Ferrocarril de Rock Island se puso de pie para hablar, el público sintió lástima por él. ¿Habló durante dos horas? ¡No! Solo un minuto. En esencia, esto es lo que dijo: "en primer lugar, quiero felicitar a mi oponente por su excelente oratoria. Nunca antes había oído un discurso más elocuente. Pero, señores del jurado, el juez Wead ha oscurecido el tema principal. Después de todo, las exigencias de las personas que viajan de Este a Oeste no son menos importantes que las de quienes navegan río arriba y río abajo. El único asunto que ustedes deben decidir es si un hombre tiene el mismo derecho para viajar río arriba o río abajo, así como para cruzar el río".

Luego tomó asiento.

El jurado no tardó mucho en llegar a una decisión, una decisión a favor de este abogado de campo mal vestido, largo y desgarbado. Su nombre era Abraham Lincoln.

Soy un gran admirador de Abraham Lincoln, y una de las razones por las cuales lo admiro es que él llegaba a la esencia con mucha rapidez. Era un maestro de la brevedad. Hizo el discurso más famoso en la historia del mundo. El hombre que lo precedió en la plataforma habló durante dos horas. Luego Lincoln habló, exactamente durante dos minutos. Nadie recuerda lo que Edward Everett dijo, pero el discurso de Abraham Lincoln en Gettysburg, vivirá para siempre. La opinión de Everett respecto al discurso de Lincoln fue enviada por escrito en una nota a Lincoln al día siguiente. Era más que una cortesía: me alegraría si pudiera halagarme a mí mismo con la idea de haber llegado tan cerca al punto central de la ocasión después de dos horas, así como usted lo hizo en dos minutos.

Hace años, tuve el poco usual privilegio de conocer y familiarizarme con James Howard Bridge, autor y conferencista, quien en su juventud fue secretario confidencial de Herbert Spencer, el gran filósofo Inglés. Él me dijo que Herbert Spencer tenía un genio tan explosivo, que en la pensión donde él vivía en Londres, con frecuencia, había muchas conversaciones intrascendentes a la mesa. Spencer había decidido superar en astucia a sus amigos que hablaban demasiado tiempo. Se inventó unas almohadillas para los oídos, similares a las que ahora se utilizan comúnmente durante el invierno. Cuando la conversación se volvía demasiado aburrida, ¡él la daba por terminada sacando las almohadillas del bolsillo de su abrigo y poniéndoselas!

Hablar en exceso es uno de los peores defectos sociales. Si lo tienes, tu mejor amigo no te lo dirá, pero te evitará. Escribo sobre este tema porque precisamente esta falencia ha sido una de las mayores dificultades en mi vida. Dios lo sabe, si alguna vez ha existido un hombre que habla demasiado, ese es Frank Bettger.

En una ocasión, uno de mis mejores amigos me tomó aparte y dijo: "Frank, no puedo hacerte una pregunta sin que tomes quince minutos para responderla, ¡cuando una sola frase sería suficiente!". Pero lo que realmente me despertó fue aquella vez cuando estaba entrevistando a un ejecutivo muy ocupado y él dijo: "¡vamos al grano! Los detalles no importan". A él no le interesaba en nada la aritmética. Él quería la respuesta.

Eso me hizo pensar en las ventas que probablemente había perdido, los amigos a quienes había aburrido y el tiempo que había desperdiciado. Quedé tan impresionado con la importancia de aprender a ser breve, que le pedí a mi esposa que levantara su dedo cada vez que me saliera del tema. Trataba de evitar los detalles así como evitaría una serpiente cascabel. Por último, conforme los meses fueron pasando, aprendí a hablar menos, pero todavía lucho. De hecho, espero seguir librando esa batalla mientras viva. Justo el otro día me sorprendí hablando durante un cuarto de hora después de haberlo dicho todo, solo porque tenía muchos deseos de hablar.

¿Cómo son tus capacidades para terminar? ¿En algún momento "concluyes" pero puedes detenerte? ¿Alguna vez te has visto sorprendido entrando en demasiados detalles? Siempre que seas consciente de que llevas demasiado tiempo hablando, ¡para de inmediato!, "enciende la alarma del reloj" en tu interior. Si el oyente no insiste en que termines, entonces sabrás que te has estado tomando demasiado tiempo.

Es posible que un vendedor no sepa demasiado, pero sí puede hablar demasiado. El vicepresidente de General Electric, Harry Erlicher, uno de los mayores compradores del mundo, dice: "hace poco, en una reunión de agentes de compras, hicimos una votación para identificar la principal razón por la cual los vendedores perdían negocios. Es muy significativo ver que los votos fueron de tres a uno a favor de que los vendedores hablan demasiado".

Puedo decirte cómo reduje mis conversaciones telefónicas a la mitad. Antes de llamar a alguien, hago una lista de temas que quiero hablar. Luego llamo y digo: "sé que usted se encuentra ocupado. Tengo solo cuatro puntos que quiero tocar con usted, y lo haré uno a la vez... uno, dos, tres, cuatro".

Cuando termino el punto cuatro, él sabe que la conversación está próxima a terminar y que ya estoy listo para finalizar la llamada después de escuchar su respuesta. Y justo en ese momento termino mi conversación diciendo: "muy bien, muchas gracias". Y cuelgo.

No estoy diciendo que debemos ser bruscos. Nos resentimos con facilidad con las personas que son rudas, pero admiramos a quienes son breves y van al grano.

El gran escritor del Génesis narró la historia de la creación del mundo en 442 palabras, menos de la mitad de palabras que he utilizado en este capítulo. ¡Esa es una obra maestra de la brevedad!

24

Esta entrevista me enseñó a superar mi temor a acercarme a personas muy importantes

En una ocasión alguien me preguntó si alguna vez había tenido miedo. Pero miedo no es la palabra. ¡He estado aterrado! Sucedió hace mucho tiempo cuando me encontraba luchando por ganar un sustento básico tratando de vender seguros de vida. Poco a poco llegué a entender que, si quería tener más éxito, tendría que contactar a algunas personas importantes y venderles pólizas más grandes. En otras palabras, yo había estado jugando en las ligas de barrio y ahora quería probar las Grandes ligas.

El primer pez gordo que visité fue Archie E. Hughes, presidente de la Compañía Foss-Hughes, de Filadelfia, en la calle 21 con Market. Él era uno de los líderes en la industria automotriz de la costa este y era un hombre muy ocupado. En varias ocasiones había intentado lograr una cita con él.

Cuando su secretaria me hizo pasar a su lujoso despacho, fui poniéndome más y más nervioso. La voz me temblaba cuando comencé a hablar. De repente, perdí el control y simplemente no pude continuar. Allí estaba yo, temblando de miedo. El señor Hughes me miró asombrado. Luego, sin saberlo, hice algo sabio, sabio pero tan sencillo que llevó la entrevista de un ridículo fracaso a todo un éxito. "Señor Hughes...", balbuceé, "eeehh... yo... llevo mucho tiempo tratando de tener una cita con usted... y... eeehh... ahora que estoy aquí, estoy tan nervioso y asustado, ¡que no puedo hablar!".

Incluso a medida que hablaba, y para mi sorpresa, mi miedo empezó a desvanecerse. Mis pensamientos se aclararon rápidamente, y mis manos y rodillas dejaron de temblar. De repente el señor Hughes pareció ser mi amigo. Sin duda él estaba agradado al ver que yo lo veía como una persona muy importante. En su rostro mostró una expresión amable y dijo: "está bien. Tómese su tiempo. Muchas veces en mi juventud me sentí así. Siéntese y tómelo con calma".

Con mucho tacto, y haciéndome preguntas, me animó a seguir. Era evidente que si yo tenía una idea que le podía ser útil, sin duda me iba a ayudar a hacer la venta.

No le vendí nada al señor Hughes, pero gané algo que posteriormente resultó ser mucho más valioso que la comisión que habría hecho en esa venta. Descubrí esta sencilla regla. Aquí está: cuando tengas miedo... ¡admítelo!

En mi opinión, este complejo de miedo para hablar con alguien importante se debía a falta de valentía. Eso me avergonzaba y traté de mantenerlo en secreto. Sin embargo, desde ese momento aprendí que muchos hombres de éxito y destacados en entornos públicos sufren de los mismos temores. Por ejemplo, a principios de la primavera de 1937, en el Teatro Empire de la ciudad de Nueva York, quedé asombrado cuando Maurice Evans (considerado por muchos críticos como el mejor actor de Shakespeare en todo el mundo) confesó su nerviosismo ante una gran audiencia de padres y estudiantes que se estaban graduando de la Academia americana de arte dramático. Me encontraba ahí porque mi hijo Lyle estaba en esa clase.

El señor Evans era el orador principal en aquella ocasión. Después unas pocas palabras, vaciló, obviamente avergonzado, y luego dijo: "estoy aterrorizado. No me había dado cuenta que iba a dirigirme a una audiencia tan grande y tan importante. Planeé lo que a mi parecer sería apropiado decir, pero lo he olvidado todo".

El público quedó agradado con Maurice Evans por esto. Al parecer, el haber admitido abiertamente que estaba aterrorizado rompió la tensión. Recuperó la compostura, prosiguió y emocionó a jóvenes y ancianos al hablarles directo desde su corazón.

Durante el tiempo de la guerra, en un almuerzo de recaudación de fondos organizado en el Hotel Bellevue-Stratford de Filadelfia, escuché el discurso de un oficial de la Marina de los Estados Unidos. Ante nosotros estaba un hombre que se había destacado por su coraje y valentía en las Islas Salomón. El público esperaba un discurso lleno de emoción y experiencias espeluznantes. Al ponerse de pie, tomó algunos papeles de su bolsillo y, para el disgusto del público, comenzó a leer su discurso. Él estaba muy nervioso, pero estaba tratando de ocultarlo ante la audiencia. Su mano temblaba tanto que se le dificultaba leer. De repente, su voz se desvaneció. Luego, con la vergüenza, pero con franca humildad, dijo: "estoy mucho más asustado ahora ante este público de lo que jamás estuve al enfrentar a los japoneses en Guadalcanal".

Después de esta sincera confesión, pasó a ignorar sus notas por completo y comenzó a hablar con confianza y entusiasmo. Así fue cien veces más interesante y eficaz.

Este oficial de la Armada encontró lo mismo que Maurice Evans y yo habíamos encontrado en nuestro momento (al igual que miles de personas): cuando estés en una situación difícil y asustado hasta la muerte, ¡admítelo! Cuando estás en una mala posición y estás equivocado, admítelo el cien por ciento.

En 1944 escribí un artículo sobre este tema para la revista *Your Life*. Poco después de la publicación, me emocionó recibir la siguiente carta:

En algún lugar del Pacífico, septiembre 11 de 1944, Estimado Frank Bettger:

Acabo de leer y pensar sobre un artículo que usted escribió en la edición de septiembre de la revista *Your Life*. Su artículo está titulado, "Cuando tengas miedo, ¡admítelo!", y he estado pensando en cuán bueno es ese consejo, especialmente en esta parte con soldados en zona de combate.

Sin duda he tenido experiencias similares a las que usted describe. Discursos públicos en la escuela secundaria y en la universidad, conferencias con empleadores antes y después de obtener un puesto de trabajo, la primera conversación seria con esa chica especial, todo esto me ha generado miedo, y mucho.

Bueno, tal vez se pregunte por qué le escribo desde aquí para reafirmar sus declaraciones. Lo hago porque es evidente que no doy discursos públicos ni estoy buscando empleo. No, no estoy sometido a duras pruebas en ese sentido, pero creo que sí sé qué es el miedo y cómo puede afectar a alguien. También hemos encontrado que su consejo, "¡admítelo!" es precisamente lo más apropiado y justo cuando enfrentamos un feroz ataque de los japoneses.

Aquí, una y otra vez, ha quedado demostrado que los hombres que no pueden admitir su miedo son los que se desvanecen en la batalla. Pero si admites que estás asustado, aterrorizado, y no tratas de luchar contra el miedo, entonces vas por el camino correcto hacia superar tu temor en la mayoría de los casos.

Y ahora, gracias por escribir ese artículo, y sinceramente espero que los afortunados estudiantes y trabajadores que tengan la oportunidad de hacer uso de su consejo en realidad lo hagan.

Atentamente,

Charles Thompson

16143837 Co. C

382 Infantry U. S. Army

A.P.O. #96, c/o Postmaster, San Francisco, Calif.

Esta carta proveniente del frente de batalla en efecto fue escrita bajo las circunstancias más difíciles. Sin embargo, es probable que ahora mismo haya personas leyendo este capítulo que han pasado de ida y de vuelta, una y otra vez, frente a la oficina de alguien, tratando de reunir el valor suficiente para entrar. ¿Eres una de esas personas? ¡Las esposas de los hombres más importantes no tiemblan ante su presencia! Le haces un gran cumplido a alguien cuando le dices que te pone nervioso el estar en su presencia.

Ahora, al recordar, veo lo tonto que fui, en muchas ocasiones no logré aprovechar las oportunidades, porque tenía miedo de hablar con alguien importante. El haber visitado a Archie Hughes fue un paso importante en mi carrera como vendedor. Tenía miedo de ir a verlo y estaba aterrorizada cuando entré a su oficina. Si no hubiera admitido que estaba asustado, ¡habría salido derrotado! Esa experiencia me ayudó a alcanzar un mayor margen de ganancias. Me demostró que, en el fondo, este hombre en realidad era alguien sencillo y accesible, a pesar de ser alguien importante. De hecho, esa era una de las razones por las cuales era tan importante.

Admitir el miedo no es una vergüenza, pero sí lo es cuando no se intenta hacerlo. Así que, ya sea que estés hablando con una persona o con mil, si ese extraño demonio del miedo, ese enemigo público número uno, de repente, te asalta, y te encuentras demasiado asustado como para hablar, recuerda esta sencilla regla:

Cuando tengas miedo... admítelo.

RESUMEN DE LA CUARTA PARTE

Recordatorios de bolsillo

1. "Si has de ganar a alguien para tu causa", dijo Abraham Lincoln, "primero convence a esa persona de que eres su amigo sincero".

2. Si quieres ser bienvenido en todas partes, dale a cada ser viviente una sonrisa honesta y bondadosa desde el fondo de tu ser.

3. Tendrás muchas menos dificultades para recordar nombres y rostros cuando tengas presentes estos tres puntos:

   a. Impresión: ten una clara impresión de su nombre y su rostro.

   b. Repetición: repite su nombre a intervalos cortos.

c. Asociación: asócialo con una imagen de acción, si es posible, incluye el negocio de la persona.

4. Sé breve. Un vendedor puede no saber demasiado, pero sí puede hablar demasiado. El vicepresidente de General Electric, Harry Erlicher, dijo: "hace poco, en una reunión de agentes de compras, hicimos una votación para identificar la principal razón por la cual los vendedores perdían negocios. Es muy significativo ver que los votos fueron de tres a uno a favor de que los vendedores hablan demasiado".

5. Si tienes miedo de acercarte a personas importantes, ¡convierte ese obstáculo en una oportunidad! Ve y encuéntrate con la persona que temes llamar y admite que tienes miedo. Le haces un gran cumplido a alguien cuando le dices que te pone nervioso el estar en su presencia. Si tienes una idea que le pueda ser útil, esta persona te ayudará a hacer la venta.

QUINTA PARTE

Pasos para vender

25

La venta antes de la venta

Una vez, mientras contemplaba el atardecer en Miami, Florida, sobre la cubierta de un gran barco, vi algo que me enseñó una importante lección que necesitaba aprender acerca de cómo abordar a un cliente potencial. Las ventas eran en lo que menos estaba pensando en ese momento. Estaba de vacaciones.

A medida que la embarcación se acercaba al muelle, uno de los tripulantes lanzó algo que parecía una pelota de béisbol con una fina cuerda atada a ella. Un asistente del muelle extendió sus brazos separándolos, pero la pelota pasó por encima de su cabeza, así que la cuerda cayó sobre sus brazos. Mientras halaba la cuerda, me di cuenta que esta traía otra cuerda más gruesa que se encontraba bajo el agua y la arrastró hasta el muelle. Poco después, el ayudante pudo enrollar la pesada cuerda alrededor de un poste de hierro, el bolardo. Poco a poco, el barco fue deteniéndose junto al muelle y lo amarraron.

Le pregunté al capitán acerca de lo que había visto. Y él me dijo: "esa pequeña cuerda se llama la 'cuerda guía', la pelota atada a ella se llama 'puño de mono', la pesada cuerda que sujeta la nave al muelle es la 'estacha'. Sería imposible lanzar la estacha lo suficientemente lejos sobre el costado del barco para atarlo al muelle".

Justo en ese momento supe por qué había estado perdiendo tantos prometedores clientes potenciales con mi método. Había estado tratando de lanzarles la estacha. Por ejemplo, pocos días antes, un panadero mayorista había amenazado con echarme de la plataforma de entregas de su panadería. Yo entré sin cita previa y comencé a hacerle mi presentación de ventas antes de que él supiera quién era yo, a quien representaba, o qué quería. No es de extrañar por qué fue tan descortés.

Simplemente devolvió lo que yo le había dado. Ahora, me preguntaba ¡cómo había podido ser tan estúpido!

Después de regresar a casa de esas vacaciones, comencé a leer todo lo que pude encontrar acerca de cómo "abordar". Les pregunté al respecto a vendedores de más edad y mayor experiencia. Me sorprendió escuchar que algunos de ellos dijeron: "¡la forma como te acercas a una persona es el paso más difícil de venta!".

Con esto empecé a comprender por qué me ponía tan nervioso y con frecuencia pasaba una y otra vez frente a la puerta de la oficina antes de entrar para contactar a alguien. ¡Yo no sabía cómo acercarme! Tenía miedo de que me rechazaran sin tener la oportunidad de contar mi historia.

Ahora, ¿dónde crees que aprendí los mejores consejos acerca de cómo abordar a una persona? No fue con ningún vendedor. Los aprendí preguntándoles a los mismos clientes

182

potenciales. Las siguientes son dos lecciones que aprendí de ellos y que me han sido muy útiles:

1. A ellos no les gustan los vendedores que los mantienen en suspenso acerca de quiénes son, a quién representan y lo que quieren. Se resisten con firmeza contra aquellos vendedores que utilizan subterfugios, procuran camuflar o dan una falsa impresión acerca de la naturaleza lo que hacen o el propósito de su llamada o visita. Admiran a los vendedores que son naturales, sinceros y honestos en su manera de acercarse, y que van directo al grano en cuanto al propósito de su llamada o visita.

2. Si el vendedor llega sin una cita, a ellos les gusta que él pregunte si es conveniente hablar ahora, en lugar de empezar de inmediato a hacer una presentación de ventas.

Años después, escuché a mi amigo, Richard (Dick) Borden, de la ciudad de New York, uno de los conferencistas y consejeros de ventas más destacado de la nación, decirle lo siguiente a una audiencia de vendedores: "contarle una historia de ventas a un posible cliente no tiene mucho efecto si en primer lugar no se le ha vendido la importancia de escucharlos. Usen los primeros diez segundos de cada contacto de ventas para comprar el tiempo que necesitan para contar su historia completa. Vendan la entrevista antes de intentar vender el producto".

Si me presentara delante de un hombre sin tener cita previa, yo simplemente diría: "señor Wilson, mi nombre es Bettger, Frank Bettger, trabajo con la compañía de seguros de vida Fidelity Mutual. Su amigo, Vic Ridenour, me pidió que procurara verlo la próxima vez que estuviera en su vecindario.

¿Tiene ahora unos minutos disponibles para hablar o prefiere que lo llame en otro momento?". Por lo general, la respuesta sería: "adelante", o, "¿acerca de qué quiere hablar conmigo?".

"¡De usted!", sería mi respuesta.

"¿Exactamente de qué?", suele ser la siguiente pregunta.

Ese es el momento crítico para saber cómo acercarse. Si no estás preparado para responder a esta pregunta de inmediato y de forma satisfactoria, ¡es mejor que ni siquiera hagas la llamada o la visita!

Si dices que quieres venderle algo que le va a costar dinero, prácticamente le estás diciendo que quieres aumentar sus problemas. Él ya está preocupado por pagar todas las facturas que tiene en el cajón de su escritorio y por llevar bien sus finanzas. Si quieres hablar sobre algún problema importante que él tiene, estará más que dispuesto a hablar con mente abierta acerca de cualquier idea que pueda ayudarle a resolver ese problema. El ama de casa no tiene tiempo para hablar con un vendedor sobre la compra de un refrigerador nuevo, pero sí le interesa el alto costo de la carne, la mantequilla, los huevos, la leche. Ella está muy interesada en saber cómo se pueden reducir los desperdicios y reducir el costo de los alimentos. Un ocupado joven no está interesado en formar parte de la Cámara júnior de comercio, pero sí le interesa mucho hacer más amigos, ser más conocido, tener más prestigio en su comunidad y tener a posibilidad de aumentar sus ingresos.

A veces se puede abordar con éxito a una persona sin hacer uso de ningún tipo de "charla de acercamiento". Permíteme dar unos ejemplos: hace poco estaba en casa de un amigo cercano que había estado asociado por mucho tiempo con una destacada fábrica. Él me contó esta historia:

Este era mi primer viaje como vendedor fuera de Filadelfia. Nunca había estado en New York. La última parada antes de llegar a la gran ciudad era Newark. Cuando entré a la tienda de mi posible cliente, él estaba ocupado atendiendo a un comprador. Su pequeña hija de cinco años de edad estaba jugando en el suelo. Ella era una niña muy tierna, y en menos de nada nos hicimos amigos. Jugué a llevarla en mi espalda por todos lados alrededor de los paquetes de mercancías. Cuando el papá de la pequeña quedó libre, yo me presenté y él comentó: "llevamos mucho tiempo sin comprar algo de su compañía". No hablé de negocios con él. Solo hablé de su pequeña hija. Y él me dijo: "veo que se han hecho muy buenos amigos con mi hija. ¿Quisiera volver esta noche a la fiesta de cumpleaños que le vamos a celebrar? Vivimos en el piso que está sobre la tienda".

Así que salí a dar mi primer vistazo a New York, y fue solo eso, un vistazo. Después de registrarme en el antiguo Sevilla y asearme un poco, volví a Newark y a la fiesta. Cada minuto de la noche fue un deleite. Me quedé hasta la medianoche. Cuando ya estaba por irme, sentí una gran emoción cuando recibí la orden de pedido más grande que alguna vez hubiera hecho ese cliente. Yo no intenté vender nada. Con solo haber tomado tiempo para ser amable con una niña, creé el tipo de acercamiento que nunca falla.

Este vendedor es demasiado modesto como para dejarme usar su nombre, pero llegó a ser el gerente de ventas, luego el gerente general y, finalmente, ocupó el cargo de presidente de su empresa, una empresa que ha demostrado su valía durante más de cien años. "A lo largo de mis veinticinco años como vendedor", prosiguió, "la mejor forma que he encontrado para acercarme a una persona ha sido identificar primero el pasatiempo de un cliente potencial y luego hablar sobre ese tema".

No siempre hay un bebé para jugar con él, ni un pasatiempo sobre el cuál hablar, pero siempre se puede ser amable. Hace poco, me encontraba almorzando con otro amigo cercano, Lester H. Shingle, quien es el presidente de la Compañía Shingle Leather, en Camden, Nueva Jersey. Lester es uno de los mejores vendedores que jamás haya conocido. En la conversación él me dijo lo siguiente:

Hace muchos años, cuando yo era un joven vendedor, solía visitar a un gran fabricante en el Estado de New York, pero no había logrado hacerle alguna venta. Un día, al verme entrar a su oficina, este hombre mayor se mostró enfadado y me dijo: "lo siento, pero hoy no puedo dedicarle tiempo. Ya estoy por salir a almorzar".

Al ver que necesitaba lograr abordarlo con algún método poco usual y pronto, le dije: "¿le importaría llevarme a almorzar, señor Pitts?". Por lo visto, esto lo sorprendió un poco, pero dijo: "claro, venga".

Durante el almuerzo no hablé nada de negocios. Después, volvimos a su oficina y él me hizo un pedido pequeño. Este era el primero que recibíamos de él, pero resultó ser el comienzo de una buena línea de negocios que continuó por muchos años.

En mayo de 1945, me encontraba en Enid, Oklahoma. Estando allá, me enteré de un vendedor minorista de zapatos llamado Dean Niemeyer, quien acababa de establecer el que habría sido un récord mundial al vender 105 pares de zapatos en un día. Todas habían sido ventas separadas, hechas a 87 mujeres y niños. Ese era un hombre con quien yo quería hablar. Así fui a la tienda donde el señor Niemeyer trabajaba y le pregunté cómo lo había hecho. Él dijo: "todo está en la manera como te acercas. A un cliente se le puede vender o se lo puede perder, dependiendo de cómo lo abordas a la entrada".

Yo estaba ansioso por ver a qué se refería, así que lo vi en acción parte de la mañana. Él de verdad hace que sus clientes se sientan como en casa. Con una sonrisa afectuosa y sincera, sale y las recibe a la entrada. Con los modales naturales, útiles y nada elaborados de Dean, la cliente se siente agradada de haber entrado a la tienda. Así ya le ha hecho la venta antes de que ella tome asiento.

Al abordar a sus clientes, estos tres hombres simplemente aplicaron el primero y quizás el más importante paso para vender cualquier cosa: "¡venderse primero uno mismo!".

He aprendido que lo que hago al acercarme a un cliente, por lo general, determina mi posición en su mente: "tomador de pedidos" o "asesor". Si me acerco de forma correcta, seré la persona a cargo de la conversación, pero, si fallo en la manera de abordarlo, el cliente potencial será la persona a cargo de la conversación.

Voy a terminar este capítulo con la conversación de acercamiento que uso. Una charla desarrollada a lo largo de varios años y que ha cobrado un valor incalculable para mí. De ti depende adaptar algunas partes según tu propio campo de ventas en particular.

Yo: señor Kothe, por el color de su cabello o el color de sus ojos, no puedo decirle cuál es su situación, así como un médico no podría diagnosticar mi enfermedad si yo fuera a su consultorio, me sentara y me negara a hablar. Ese médico no podría hacer mucho por mí, ¿verdad?

Señor Kothe (por lo general con una sonrisa): no, eso es correcto.

Yo: bueno, esa es mi posición con usted, a menos que usted esté dispuesto a depositar su confianza en mí, hasta cierto punto. En otras palabras, para que en un futuro yo pueda mostrarle algo que pueda serle valioso, ¿estaría dispuesto a responder algunas preguntas?

Señor Kothe: adelante. ¿Qué preguntas?

Yo: ahora bien, no me sentiré ofendido si hago alguna pregunta que no usted no quiere contestar. Lo entenderé. Pero si alguien llega a saber algo de lo que usted me diga, eso será porque usted se lo dijo a esa persona y no porque yo lo haya hecho. Esto es estrictamente confidencial.

El cuestionario

Veo que puedo llegar a las preguntas con más facilidad si espero a que mi cliente responda la primera pregunta antes de yo sacar el cuestionario de mi bolsillo. Esto lo hago mientras lo miro a los ojos y lo escucho con toda atención. Desarrollé este cuestionario durante un largo período de tiempo. Es corto, pero me da un cuadro completo de la situación de mi cliente potencial y también me da una idea de sus planes inmediatos y objetivos futuros. Hago las preguntas lo más rápido posible. Me tardo entre cinco y diez minutos, dependiendo de cuánto hable el cliente.

Las siguientes son algunas de las preguntas íntimas que no dudo en hacer:

¿Cuál sería el ingreso mínimo mensual que su esposa podría necesitar en caso de que usted falleciera?

¿Cuál sería su ingreso mínimo mensual a los sesenta y cinco años de edad?

¿Cuál es el valor actual de su patrimonio?

¿Acciones, bonos, otros valores?

¿Bienes raíces? (hipotecas)

¿Efectivo disponible?

¿Ingresos anuales?

¿Seguro de vida?

¿Cuánto paga cada año en seguros?

No tengas miedo de hacer el mismo tipo de preguntas íntimas que se apliquen directamente a tu negocio en particular si preparas a tu cliente potencial con una conversación de acercamiento similar a la mencionada con anterioridad.

Luego pongo el papel de vuelta en el bolsillo, de la misma manera que lo saqué. Mi última pregunta es (con una sonrisa): "señor Kothe, ¿qué hace cuando no está trabajando? En otras palabras, ¿tiene usted un pasatiempo?".

La respuesta a esta pregunta suele ser muy valiosa para un evento posterior. Mientras él responde esa pregunta yo guardo el cuestionario en el bolsillo. Nunca se lo muestro al cliente potencial en la primera entrevista. Mientras tanto, su curiosidad aumentará tanto que aumentará mis posibilidades en la segunda entrevista. Después de completar la información, salgo lo más pronto que puedo. Digo: "gracias por su confianza señor Kothe. Analizaré esto un poco. Creo que tengo una idea que puede ser de valor para usted y, cuando ya la haya definido, lo llamaré para acordar una cita. ¿Le parece bien?". Y su respuesta suele ser: "sí".

Uso mi juicio en cuanto a si debo organizar una cita definitiva en ese mismo instante para una fecha posterior, por ejemplo, para la semana siguiente.

Importante. Estos cuestionarios deben mantenerse en un archivo, así como un médico mantiene un registro completo de sus pacientes. Esto te proporciona información acerca de tu cliente, la cual va avanzando según el éxito que vayas teniendo. Y he encontrado que, conforme estas personas van progresando, esperan tener la oportunidad de hablarte sobre sus avances. Cuando estás genuinamente interesado, ellos saben que eres alguien con quien pueden hablar de sus problemas, y compartir sus triunfos y felicidad.

No creo que debas memorizar la conversación de acercamiento. Pero sí creo que debes escribirla y leerla varias veces cada día. Así llegará el día en el que la conocerás por completo. Si la aprendes de esa manera, nunca sonará enlatada. Practica esa charla con tu esposa. Ensáyala una y otra vez con ella hasta que la sepas tan bien que llegue a ser parte de ti.

Resumen

1. No trates de tirar la "estacha", lanza la "cuerda guía".

2. El acercamiento debe tener un solo objetivo: vender la entrevista, no su producto, sino tu entrevista. Esa es la venta antes de la venta.

26

El secreto de hacer citas

Cada semana, durante los últimos treinta y un años, he ido donde el mismo peluquero, Ruby Day. Un tío de él lo inició como aprendiz cuando tenía solo nueve años de edad. Era de estatura tan corta, que tenía que subirse a un taburete. Los clientes de Ruby creen que él probablemente es uno de los mejores peluqueros del mundo. Además, es encantador.

A pesar de estas cualidades, en el año 1927, Ruby estaba en decadencia. Su negocio no estaba funcionando muy bien, y tenía tantas dificultades económicas que no pudo pagar el alquiler durante cuatro meses. El propietario del edificio donde tenía su pequeña tienda de un solo empleado estaba amenazándolo con desalojarlo.

Un viernes por la tarde, mientras él me cortaba el cabello, lo noté un poco enfermo. Le pregunté si algo andaba mal. Terminó confesándome la terrible situación en la que se encontraba. Además de todo esto, su esposa acababa de dar a luz otro bebé, Ruby, Jr.

Mientras hablábamos, otro cliente pasó por el sitio y le preguntó a Ruby en cuánto tiempo podría atenderlo. Rubí le aseguró que en unos pocos minutos, así que, a regañadientes, el cliente tomó asiento y comenzó a leer una de las revistas.

Yo le dije: "Ruby, ¿por qué no trabajas con cita previa?".

"Oh, señor Bettger", respondió: "no puedo trabajar con cita previa, la gente no saca citas con barbero".

"¿Por qué no?", pregunté.

"Eso lo pueden hacer los médicos o los abogados", dijo, "pero nadie haría una cita con un peluquero".

"No veo por qué no", insistí. "Yo pensaba lo mismo respecto a mi trabajo hasta que otro vendedor me convenció de que esa era la única manera de trabajar.

A tus clientes les gusta tu trabajo, Ruby, y también les agradas, pero no les gusta esperar. Apuesto a que este hombre que está esperando con gusto separaría una cita contigo en una hora definida cada semana, ¿no es cierto?".

"¡Claro que sí!", asintió el cliente.

Él y Ruby rápidamente acordaron una cita fija cada semana.

"Ahí lo tienes", le dije con entusiasmo. "Ahora ponme a mí a las ocho todos los viernes por la mañana".

Al día siguiente, Ruby tenía un libro de citas, y comenzó a llamar a todos sus antiguos clientes, muchos de los cuales no habían ido a su tienda en meses. Poco a poco pudo organizar su libro de citas llenando todo el calendario, y sus preocupaciones financieras quedaron en el pasado. Ha trabajado durante veinte años únicamente mediante cita previa. Ha entrenado a sus clientes para que cuenten con sus citas. A ellos les gusta así, puesto que esto les ahorra tiempo. Hoy R.B. (Ruby)

Day es propietario de una hermosa y pequeña casa en la calle 919 Fox Chase Road, de Hollywood, Pennsylvania. Y da la impresión de ser un importante y feliz hombre de negocios.

Una noche, relaté esta historia en una capacitación de ventas que estábamos adelantando en Pasadena, California. Entre los asistentes había un conductor de taxi. Al terminar la semana, él se acercó a los camerinos para vernos y dijo: "¡ahora soy un hombre de negocios!". Le preguntamos qué quería decir con eso. "Bueno", dijo, "después de escuchar la charla del martes en la noche, pensé: si un barbero pudo hacer citas, yo debería intentarlo. A la mañana siguiente, llevé al presidente de una gran empresa a Glendale para tomar un tren. Mientras lo llevaba, le pregunté durante cuánto tiempo iba a estar de viaje. Él dijo que regresaría esa misma noche y accedió a que lo llevara a casa. Esa noche él se mostró complacido cuando lo dejé en su casa y me dio una buena propina. Me enteré que él hacía ese viaje todas las semanas y, a veces, le resultaba difícil conseguir un taxi. Así que hice una cita fija para ese mismo trabajo cada semana. Además, él me dio los nombres de otros ejecutivos de su compañía para que los llamara y acordara citas. Al contactarlos, les decía que lo hacía por sugerencia de su presidente. Al hacer estas llamadas, logré otros dos trabajos para la mañana siguiente. Ya compré un libro de citas y crearé una lista de trabajos regulares así como lo hizo su peluquero. ¡Ahora me siento como un hombre de negocios!".

Le hice esta misma sugerencia a mi camisero. Al poco tiempo, la mayoría de sus clientes iban a su tienda mediante cita previa.

Estos hombres encontraron lo mismo que yo y miles de personas hemos encontrado en casi todas las líneas de negocio: ¡las personas prefieren trabajar con cita previa!

1. Esto ahorra tiempo, ayuda a eliminar, en gran parte, el trágico desperdicio de tiempo que preocupa a la mayoría de vendedores. Así mismo, le ahorra tiempo al cliente.

2. Al pedir una cita, le hacemos saber al cliente que sabemos que está ocupado. Instintivamente él le da más valor a nuestro tiempo. Cuando tengo una cita, tengo mayor atención y la persona tienen más respeto por lo que digo.

3. Esto hace que cada visita sea un evento. Una cita saca al vendedor del nivel de vendedor ambulante.

Mi antiguo compañero de cuarto, Miller Huggins, se destacó en el béisbol por ser un gran bateador de apertura, porque con mucha frecuencia ganaba una base. Al llegar a base con tanta frecuencia, era natural que en promedio anotara más carreras que la mayoría de los demás jugadores. He visto que en las ventas, hacer citas es como llegar a la base. Las ventas se fundamentan en lograr entrevistas, y el secreto de lograr entrevistas buenas, corteses y atentas está en vender citas. Es mucho más fácil vender citas que radios, aspiradoras, libros o seguros. Sentí un gran alivio cuando tuve eso claro en mi mente. Dejé de tratar de mover el bate para batear un cuadrangular. ¡Simplemente trataba de llegar a primera base!

Cuando llamo a alguien que conozco, simplemente pido una cita y, por lo general, la obtengo sin tantas preguntas. Pero, si es alguien a quien nunca he conocido, siempre me pregunta: "¿por qué quiere verme?".

Ese es el momento crítico para saber cómo acercarme. Si digo que quiero vender algo, con toda certeza me rechazarán de inmediato y habré arruinado las posibilidades de obtener una cita en otro momento. La verdad de esto es que quizás no sepa si esta persona necesita lo que estoy vendiendo. Así que el objetivo de la cita no es más que conversar. Sin embargo, aún hoy en día debo estar atento para no dejarme arrastrar a una charla de ventas por teléfono. Debo concentrarme en una sola cosa: vender la cita.

Permítame dar un ejemplo típico: un día, tuve la oportunidad de conversar por teléfono con un hombre que ha estado haciendo viajes de negocios en avión a un ritmo de más de diez mil millas por mes. Esta fue nuestra conversación:

Yo: señor Aley, me llamo Bettger, Frank Bettger, soy amigo de Richard Flicker. Recuerda a Dick, ¿verdad?

Aley: sí.

Yo: señor Aley, trabajo vendiendo seguros de vida. Dick me sugirió que lo contactara. Sé que está ocupado, pero quisiera saber si puedo verlo durante unos cinco minutos algún día de esta semana.

Aley: ¿por qué quiere verme, por un seguro de vida? Hace pocas semanas aumenté mis seguros.

Yo: eso está bien, señor Aley. Si trato de venderle algo, será culpa suya, no mía. ¿Puedo verlo por unos minutos mañana por la mañana, por ejemplo, alrededor de las nueve?

Aley: tengo una cita a las nueve y treinta.

Yo: bien, si me tardo más de cinco minutos, será culpa suya, no mía.

Aley: está bien. Será mejor que termine a las nueve y cuarto.

Yo: gracias señor Aley. Ahí estaré.

A la mañana siguiente, cuando le di la mano al llegar a su oficina, saqué mi reloj y le dije: "usted tienes otra cita a las nueve y treinta, así que me voy a limitar a cinco minutos exactamente".

Hice mis preguntas a la mayor brevedad posible. Cuando mis cinco minutos se había agotado, dije: "bueno, mis cinco minutos han terminado. ¿Hay algo más que usted quiera decirme, señor Aley?". Y, durante los siguientes diez minutos, el señor Aley me dijo todo lo que realmente quería saber de él.

He conocido personas que me han retenido hasta una hora después de mis cinco minutos, contándome todo acerca de ellos, pero nunca es culpa mía. ¡Es culpa de ellos!

Conozco a muchos vendedores exitosos que no trabajan según una cita definida cuando contactan a sus clientes habituales, pero cuando les pregunto al respecto, veo que tienen días definidos para llamar y, por lo general, es aproximadamente a la misma hora del día. En otras palabras, se espera que lo hagan.

"Los clientes no van a venir a la oficina". Eso decía un cartel en letras grandes en la pared de nuestra oficina. Siempre lo creí así, hasta que escuché a Harry Wright, un dinámico vendedor en Chicago, en una reunión una noche. Harry descubrió que sí vienen a la oficina. "Cierro el 65 por ciento de mis ventas en mi propia oficina", dijo. "Siempre sugiero hacer una cita en mi oficina, explicando que no habrá interrupciones y que estando allá podemos concluir nuestro negocio con más rapidez y de forma satisfactoria".

Al principio, tuve miedo de hacerlo. Pero me sorprendió encontrar que muchas personas lo preferían así. Cuando vienen a mi oficina, nunca permito que haya interrupciones. Si mi teléfono suena, respondo algo como esto:

"Ah, hola Vernon. ¿Vas a estar ahí por un rato? ¿Puedo devolverte la llamada en unos veinte minutos? Estoy en una reunión con otra persona y no quiero hacerla esperar. Gracias Vernon. Te llamaré de nuevo". Luego cuelgo el teléfono y le pido a la recepcionista que no me pase llamadas mientras estoy con el señor Thomas. Esto siempre complace a mi cliente.

Antes de que se vaya, si no tiene demasiada prisa, procuro presentarle, en la oficina, a las personas que han ayudado a servirle o probablemente que le sirvan si se convierte en cliente.

Sé que para muchos vendedores esta es una excelente oportunidad de mostrarles a sus clientes las oficinas, instalaciones o planta de producción, y mostrarles cómo se fabrican sus productos.

Hombres difíciles de ver

La práctica ayudará a cualquier persona a mejorar su capacidad de hacer citas. Por supuesto, siempre hay hombres y mujeres difíciles de ver. Sin embargo, he visto que ellos son los mejores clientes potenciales si logro llegar a ellos. Mientras sea cortés, he aprendido que a ellos no les molesta la persistencia. Las siguientes son algunas preguntas que uso e ideas que me han sido útiles:

1. "Señor Brown, ¿cuándo es un mejor momento para hacerle una visita, temprano en la mañana o en la tarde?". "¿Es mejor a comienzos de la semana o a finales?". "¿Puedo verlo esta noche?".

2. "¿A qué hora sale a almorzar? Almorcemos juntos un día de esta semana. ¿Le gustaría almorzar conmigo mañana en el Union League, digamos que sea alrededor de las doce o doce y media?".

3. Si él está muy presionado con el tiempo, pero es sincero respecto a que está dispuesto a verme, a veces pregunto: "¿tiene su auto en la ciudad hoy?". Si dice "no", me ofrezco a llevarlo a casa en el mío. Así le digo: "esto nos dará unos minutos para hablar".

4. Me ha sorprendido la cantidad de personas que no están dispuestas a hacer una cita definitiva, acceden a verme si organizo el tiempo con suficiente antelación. Por ejemplo, los viernes por la mañana, cuando planeo el trabajo de la siguiente semana, si llamo por teléfono y digo: "señor Jones, el próximo miércoles voy a estar en su vecindario; ¿estaría bien si paso por su oficina?". Por lo general, accederá a que lo haga. Luego le pregunto si es mejor en la mañana o por la tarde, y a veces me dicen una hora.

Si, después de hacer todos los esfuerzos razonables, siento que no es honesto en su disposición a cooperar, lo olvido.

Algunos de los mejores contactos que he hecho han sido personas muy difíciles de ver. Para ilustrar: me refirieron el nombre de un ingeniero de contratación en Filadelfia. Después de llamar un par de veces, supe que rara vez se encontraba en la oficina, excepto entre las 7 y las 7:30 a.m.

A la mañana siguiente, fui a su oficina a las siete en punto. Esto fue en pleno invierno, y afuera todo estaba oscuro como si aún fuera de noche. Él se encontraba mirando algunas cartas en su escritorio. De repente, tomó un maletín grande y pasó justo por mi lado. Lo seguí hasta su auto. Al abrir el maletero, me miró y dijo: "¿acerca de qué quiere hablar conmigo?".

Yo le dije: "de usted".

Él dijo: "no puedo detenerme a hablar con nadie esta mañana".

"¿Hacia dónde se dirige ahora?", pregunté.

"Collingswood, Nueva Jersey", fue su respuesta.

"Permítame llevarlo en mi auto", sugerí.

"¡No! Tengo muchas cosas en mi auto que voy a necesitar hoy", respondió.

"¿Le molesta si voy con usted mientras conduce?", pregunté. "Podemos hablar mientras conduce. Esto le ahorrará tiempo".

"¿Cómo regresará?", preguntó. "Voy a estar trabajando hacia Wilmington, Delaware".

"Deje que yo me preocupe por cómo voy a volver, eso no es problema", le aseguré.

"Vamos. Suba", dijo sonriendo.

En ese momento él ni siquiera sabía mi nombre o acerca de qué quería hablarle, pero me quedé en Wilmington y regresé a Filadelfia en un tren del mediodía con una orden firmada.

He viajado en trenes hacia Baltimore, Washington y Nueva York acompañando a personas con quienes probablemente nunca habría podido acordar una cita definitiva.

Aspectos importantes que aprendí sobre el uso del teléfono

Adquirí el hábito de siempre cargar muchas monedas de cinco centavos en los bolsillos para poder usar teléfonos públicos en cualquier parte. De hecho, en muchas ocasiones he salido de la oficina y he ido a una cabina telefónica en la esquina, simplemente por las muchas interrupciones en mi lugar de trabajo.

Después que separé los viernes por la mañana para planear, comencé a contactar por teléfono a la mayoría de personas que quería visitar la semana siguiente. A veces, me pareció sorprendente cómo podía organizar las citas para una gran parte del itinerario de la semana.

Me tomó mucho tiempo aprender a no tener miedo de dejar un recado para un cliente, o incluso un cliente potencial, diciéndole que me devolviera la llamada. Después de llamar varias veces y al no lograr contactarlo, dejaba la impresión de que estaba persiguiéndolo para obtener algo. Aprendí que al dejar un mensaje, diciéndole que me llamara, daba la impresión de que yo debía tener algo que él quería. Algo importante para él.

Cuando reconocí la importancia de primero vender la cita, logré conseguir todas las entrevistas que podía manejar.

Permíteme repetir una vez más la regla que tardé tanto tiempo en aprender: primero vender la cita, luego vende tu producto.

27

Cómo aprendí a ser más inteligente que las secretarias y operadores de centrales telefónicas

Un día de la semana pasada escuché una gran lección acerca cómo ser más astuto que las secretarias y operadoras. Estaba almorzando con nuestro grupo habitual en el Union League, cuando uno de los miembros de nuestra mesa, Donald E. Lindsay, presidente de la Compañía Murlin Manufacturing, en Filadelfia, nos contó esta historia:

"Esta mañana, un vendedor vino a nuestra planta y pidió ver al señor Lindsay. Mi secretaria salió y le preguntó si tenía una cita con el señor Lindsay. 'No', dijo él, 'no tengo una cita, pero tengo información que sé que es de su interés'. Mi secretaria le preguntó el nombre y la empresa que representaba. Él le dijo su nombre, pero dijo que era un asunto personal. Ella dijo: 'Bueno, yo soy la secretaria privada del señor Lindsay. Si se trata de algo personal, tal vez pueda ocuparme del asunto. El señor Lindsay está muy ocupado ahora mismo'.

'Esto es un asunto personal', insistió el hombre. 'Creo es mejor hablar al respecto directamente con el señor Lindsay'.

"Resulta que justo en ese momento", explicó Don, "yo me encontraba en la parte posterior de la planta. Tenía las manos sucias porque estaba trabajando con dos de nuestros mecánicos en algo que habían estado dando problemas. Me lavé las manos y pasé a la oficina principal.

No reconocí al hombre, pero se presentó, me dio la mano, y me preguntó si podía atenderlo en mi oficina privada por unos de cinco minutos. Le pregunté '¿de qué se trata?' Él dijo: 'es un tema completamente personal, señor Lindsay, pero se lo puedo decir en unos pocos minutos'.

Cuando volvimos a mi oficina, el hombre dijo: 'señor Lindsay, hemos desarrollado un servicio de investigación de impuestos que puede ahorrarle mucho dinero. No cobramos por este servicio. Todo lo que necesitamos es algo de información de su parte la cual será tratada con la máxima confidencialidad.

Con eso, sacó un cuestionario y comenzó a hacerme algunas preguntas. Yo le dije: 'espere un minuto. Usted tiene algo para venderme. ¿Qué es? ¿A quién representa?'

'Perdón, señor Lindsay', dijo, 'pero...'

'¿A qué empresa representa?' Exigí que me respondiera.

'La Compañía de seguros ABC. Yo...'

'Salga de aquí', le dije. 'Usted llegó acá por medio de engaños. Si no sale de aquí de inmediato, ¡lo sacaré a la fuerza!'".

Don Lindsay había hecho parte del equipo de lucha libre cuando estudiaba en la Universidad de Pennsylvania. Conociendo a Don, como la mayoría de nosotros lo conocíamos, soltamos una gran carcajada, ¡porque Don realmente sabe cómo sacar a la fuerza! Él prosiguió su relato y supimos que este vendedor hizo bien al salir con prontitud.

"Este vendedor tenía una muy buena apariencia y hablaba bien", nos dijo Don. Pero tomemos unos momentos para analizar su forma de acercarse:

1. No tenía cita. Encontró al señor Lindsay en un momento inoportuno, lo cual suele suceder cuando no te están esperando.

2. Le dijo su nombre a la secretaria, lo cual no significaba nada, porque evadió la pregunta: "¿a quién representa?", lo cual siempre genera sospechas.

3. Cuando la secretaria le dijo que el señor Lindsay estaba ocupado, él dio a entender que no le creía, lo cual es ofensivo.

4. Logró entrar mediante engaños. Acabó con toda posibilidad de volver a la planta. Aunque representaba una buena empresa, imposibilitó la entrada para cualquiera de sus representantes que quisiera hacer negocios en esa planta.

Mi experiencia al tratar de lograr una cita con clientes potenciales muy ocupados me ha enseñado que es más una cuestión de sentido común que trucos ingeniosos. Hay muchos vendedores que al parecer no comprenden que la secretaria de alguien puede ser muy importante para ellos. En muchos casos ella es el poder detrás del trono. Aprendí que, si quiero ver al pez gordo, mi mejor apuesta es ponerme en manos de su secretaria y, por lo general, ella me lleva hasta el lugar sagrado. Después de todo, con frecuencia ella es la jefa del pez gordo en lo que concierne a su tiempo para citas. Cuando trabajamos con la secretaria de alguna persona, trabajamos con su "mano derecha". He visto que mis golpes son más efectivos cuando me gano su confianza, soy honesto y sincero con ella, y muestro respeto por su cargo.

En un principio, procuro averiguar su nombre con otra persona en la oficina. Así, siempre la llamo por su nombre. Escribo su nombre en una tarjeta de registro permanente, de modo que nunca lo olvide. Cuando llamo por teléfono, para pedir una cita, suelo decir: "¡buenos días, señora Mallets! Habla el señor Bettger. Me pregunto si usted pudiera separarme unos veinte minutos en el horario del señor Hawshaw, ya sea hoy o en algún momento de esta semana".

Veo que muchas secretarias y recepcionistas sienten que su deber es deshacerse de los vendedores. Pero no creo que el engaño y los subterfugios sean la manera de tratar con ellas. Un hombre inteligente con una personalidad dominante puede pasar la barrera de la secretaria sin aclarar el motivo de su llamada, un vendedor con mucho valor y elocuencia puede salirse con la suya de vez en cuando, ¡pero creo que la mejor manera de ser más astuto que las secretarias y operadores es nunca intentar hacerlo!

28

Una idea que me ayudó a entrar en las "Grandes ligas"

Me ha sorprendido encontrar que muchas de las ideas que he usado en las ventas las aprendí en el béisbol. Por ejemplo, un día, cuando jugaba con Greenville, en Carolina del Sur, el director, Tommy Stouch, me dijo: "Frank, si tan solo pudieras batear, las Grandes ligas estarían detrás de ti".

"¿Hay alguna manera en la que pueda aprender a batear?", pregunté.

"Jesse Burkett no era un mejor bateador que tú", declaró Tom. "¡Pero llegó a ser uno de los mejores bateadores en el béisbol!".

"¿Cómo lo logró?", pregunté un tanto dudoso.

"Burkett decidió que iba a aprender a batear", dijo Tommy, "así que todas las mañanas salía al campo y bateaba trescientas bolas. Les pagaba unos centavos a varios chicos para que las trajeran mientras otro muchacho las lanzaba. Jesse no trataba de pegarle a la pelota, pero practicó un swing suave y libre hasta que llegó a ser perfecto".

Esa historia sonaba demasiado buena. Tenía que verlo por mí mismo. Así que busqué los registros: solo dos jugadores habían bateado más de cuatrocientas pelotas en más de una temporada. Uno de ellos era Lajoie. ¡El otro era Jesse Burkett!

La idea me entusiasmó tanto que traté de hacer que otros jugadores del equipo lo intentaran conmigo, pero me dijeron que estaba loco. Dijeron que un norteño simplemente no podía soportar el caliente sol del sur por la mañana y por la tarde. Pero mi compañero de cuarto, Ivy (Reds) Wingo, un atrapabolas de Norcross, Georgia, dijo que quería intentarlo. Así que conseguimos la ayuda de algunos muchachos que con gusto querían ganarse unos cuantos centavos y salimos temprano cada mañana antes de que el sol se pusiera demasiado caliente. Reds y yo bateábamos trescientos pelotas cada uno.

Se nos formaron grandes callos en las manos, pero además de eso, nada nos dolió y nos divertimos mucho haciéndolo.

Ese verano, Reds y yo fuimos vendidos a los Cardenales de San Luís.

Ahora, ¿eso qué tiene que ver con las ventas? Esto: diez años más tarde, después de haber renunciado al béisbol y después de haber estado trabajando en ventas durante un par de años, un apuesto y grande sureño llamado Fred Hagen fue trasladado de la oficina de nuestra empresa en Atlanta a Filadelfia. Fred tenía una sonrisa y una personalidad encantadora, pero toda su experiencia en ventas había sido en medio de agricultores del sur, así que tenía que desarrollar unas nuevas charlas de ventas. Él comenzó a practicarlas conmigo.

Esa era la misma idea que había aprendido en el béisbol. Le conté a Fred la historia de Jesse Burkett y acerca de "Reds" Wingo y yo bateando trescientas pelotas. Fred se entusiasmó con la idea e insistió en que le hiciera mis presentaciones de ventas. Seguimos practicando entre los dos, hasta que las conocíamos al derecho y al revés. Las conocía tanto que me encantaba hacerlas. ¡Quería hacerles una presentación de ventas a todas las personas que conocía! ¿Cuál fue el resultado? Comencé a hacer más visitas. Cuando un vendedor deja de generar suficientes visitas, con frecuencia la verdadera razón es que se ha perdido el interés y el entusiasmo por su propia historia de ventas.

Una noche, un periodista fue a los camerinos a entrevistar a John Barrymore después de su quincuagésima sexta representación de Hamlet. Tuvo que esperar una hora y media hasta después del ensayo. Cuando el gran actor finalmente llegó, el reportero dijo: "señor Barrymore, me sorprende que usted necesite ensayar después de cincuenta y seis presentaciones en Broadway. ¿Por qué?, ¡usted es reconocido como como el mejor Hamlet de todos los tiempos y un genio en el escenario!". Barrymore no pudo contener la risa. "Escuche", dijo, "¿quiere saber la verdad? Durante cinco meses, nueve horas cada día, leí, volví a leer, estudié y recité esa parte. Pensé que nunca lograría memorizarla. En muchas ocasiones quise renunciar. Pensé que había perdido mi vocación y que era un error haber entrado a la actuación. Sí, hace un año quise renunciar y ahora me llaman un genio. ¿No es eso ridículo?".

Yo estaba en una mala racha cuando leí esa historia. Eso me llevó a pedirle a nuestro gerente que me permitiera hacer una demostración de ventas ante nuestra agencia. Por la forma en que me miró, supuse que nunca nadie le había hecho una petición así. Eso me puso en el lugar adecuado, así que la ensayé, una y otra vez. Conforme mi conversación mejoraba, le iba imprimiendo más ánimo, y me iba emocionando más y más. Mientras trataba de perfeccionarla, vino a mi mente una nueva idea para el cierre. Poco después de hacer la manifestación, cerré una gran venta que no habría logrado si no hubiera hecho todos esos ensayos. Siempre que me han pedido que dramatice una entrevista de ventas ante cualquier grupo, me he beneficiado más, quizás mucho más, que mi audiencia. Supongo que es el orgullo lo que me impulsa a prepararme y a ensayar hasta estar seguro que estoy listo.

Poco antes de su muerte, Knute Rockne, famoso entrenador de fútbol americano de Notre Dame, dio una conferencia ante una de las mayores organizaciones de ventas del país. Es uno de los mensajes más prácticos e inspiradores sobre ventas que jamás haya leído. Lo siguiente es la esencia del mismo:

En Notre Dame tenemos un equipo de unos trescientos chicos tanto veteranos del equipo universitario como recién llegados. Ellos siempre están practicando los fundamentos y siguen así y así y así hasta que estos diferentes fundamentos se hacen tan naturales e inconscientes como respirar. Así, al momento de jugar no tienen que detenerse a preguntar qué deben hacer cuando llegue el momento de actuar con rapidez. Estos mismos principios se aplican a las ventas así como en el fútbol americano. Si quieres ser una estrella en el juego de las ventas, debes tener tus fundamentos, el abecé de tu trabajo, tan firmemente arraigado en tu mente que sea parte de ti. Conócelos muy bien de modo que, sin importar en qué momento un cliente potencial se desvía de la trayectoria del cierre de la venta, puedas traerlo de vuelta al camino sin que ni siquiera notes conscientemente lo que ha ocurrido. No puedes perfeccionar esto mirándote al espejo y felicitando a tu empresa por haberte contratado. ¡Tienes que practicar, practicar y practicar!

Eso es lo que salvó a John Barrymore de querer renunciar, y lo ayudó a ser aclamado como el mejor Hamlet de su tiempo.

¡Eso es lo que llevó a Jesse Burkett de ser un bateador débil a ser uno de los inmortales del béisbol! Hasta la fecha de hoy, solo cuatro jugadores han podido lograr el récord de batear más de cuatrocientas veces durante más de una temporada, Ty Cobb, Rogers Hornsby, Lajoie y Burkett.

Sí, eso es lo que me ayudó a salir de las menores y me llevó a las Grandes ligas en el béisbol y en las ventas.

Resumen

1. El mejor momento para preparar un discurso es inmediatamente después de haber hecho uno. Así también es con una charla de ventas. Todo lo que debiste y no debiste haber dicho todavía está fresco en tu mente. ¡Escríbelo de inmediato!

2. Escribe tu charla palabra por palabra. Sigue mejorándola. Léela y vuélvela a leer hasta que la conozcas, pero no la memorices. Ensáyala con tu esposa. Si es mala, ella te lo dirá. Preséntala ante tu jefe. Preséntala ante otro vendedor. Preséntala hasta que la ames.

    Knute Rockne así lo dijo: "ensaya... ensaya... ensaya".

29

Cómo dejar que el cliente te ayude a hacer la venta

Hay un viejo proverbio chino que dice: "una imagen vale más que mil palabras". Aprendí que una buena regla es no decir nunca algo que puedes dramatizar. Mejor aún: nunca dramatices algo que tu cliente potencial puede hacer en lugar de ti. Haz que el cliente haga la presentación. Ponlo en acción. En otras palabras: deja que el cliente te ayude a hacer la venta.

Tomemos algunos ejemplos reales de cómo se utilizó la dramatización para ayudar a hacer la venta:

Número 1. Durante varios años, General Electric y otras empresas habían estado tratando de convencer a los consejos escolares sobre la necesidad de iluminación moderna en los salones. Se celebraron numerosas conferencias... hubo miles de palabras... ¿Cuál fue el resultado? ¡Ninguno! De repente, un vendedor tuvo una idea, la dramatización. De pie ante la junta escolar en una ciudad, sostuvo una barra de acero sobre su cabeza. Agarrando cada extremo con sus manos, dobló la barra varilla mientras decía: "señores, puedo doblar esta barra solo hasta este punto, pero siempre vuelve a su posición original (soltó la barra dejando que volviera a enderezarse), pero si la doblo más allá de cierto punto, la barra se daña y no vuelve a enderezarse" (esto lo dijo a medida que doblaba la barra más allá de su punto de elasticidad que quedaba cerca del centro, perdiendo así la flexibilidad). Lo mismo sucede con los ojos de sus hijos en las aulas. Los ojos de ellos pueden soportar cierto esfuerzo. ¡Además de eso, su visión se deteriora de forma permanente!".

¿Cuál fue el resultado? El dinero fue recaudado. ¡De inmediato se instaló iluminación moderna!

Número 2. Veamos cómo algo tan sencillo como un viejo cerillo fue usado para dramatizar uno de los puntos de venta más importantes de un refrigerador conocido a nivel nacional. Sosteniendo un cerillo encendido, frente al cliente, el vendedor dijo: "señor Hootnanny, nuestro refrigerador es absolutamente silencioso... es tan silencioso como este cerillo encendido".

Número 3. De vez en cuando, la mayoría de vendedores consideran necesario presentarles cifras a los clientes. He descubierto que es mucho más eficaz cuando logro que sea el cliente quien haga los cálculos. Simplemente digo: "señor Henze, ¿puede escribir las siguientes cifras a medida que se las digo?". Veo que esto genera mayor atención, mantiene el interés y hace que la persona esté menos susceptible a distraerse. ¡En ese momento es su propia idea! Así entiende mejor. Se convence a sí mismo por sus propios cálculos. En otras palabras, esto lo pone en acción. Más adelante, al acercarme al cierre, le pido que haga la suma. De nuevo digo, "señor Henze, ¿puede escribir lo siguiente?" Y repito el resumen en pocas palabras: número uno... número dos... número tres... número cuatro... Este es un clímax natural. ¡Él mismo me está ayudando a cerrar la venta!

Número 4. Durante una dramatización acerca de una farmacia, que di una noche en una escuela de ventas en Portland, Oregon, un distribuidor mayorista de ropa de lana me vio dramatizarle a un "cliente" un nuevo tipo de cepillo de dientes. Poniendo en las manos del cliente una gran lupa, le entregué un cepillo de dientes común y corriente y también el nuevo tipo. Luego le dije: "mire estos dos cepillos bajo la lupa y notará la diferencia". Este vendedor de ropa había estado perdiendo terreno frente a competidores que manejaban un grado de tela más barato, pero no había podido convencer a sus clientes que la calidad era buena economía. Así que decidió intentar usar una lupa de bolsillo de la misma manera que yo la había usado para dramatizar la comparación de cepillos de dientes. "Quedé sorprendido", me dijo después, "la facilidad con la que los clientes reconocen la diferencia. Mis ventas aumentaron de inmediato".

Número 5. Un camisero de la ciudad de New York me dijo que había aumentado en un cuarenta por ciento sus ventas de ropa para hombres cuando instaló una película en la vitrina de su tienda. La película dramatizaba a un hombre mal vestido postulándose para un empleo, quien era rechazado rápidamente. El siguiente candidato, bien vestido, obtenía el empleo de inmediato. La buena ropa es una buena inversión.

Número 6. Mi amigo, el doctor Oliver R. Campbell, en Aldine Trust Building, Philadelphia, uno de los odontólogos más sobresalientes de Filadelfia, reconoce el valor de la dramatización. Toma radiografías de los dientes de sus pacientes y las proyecta sobre la pared de su oficina. Su paciente se sienta y observa una película de sus propios dientes y encías. El doctor Campbell dijo que solía desgastarse tratando de convencer a los pacientes acerca de lo conveniente que es cuidar de sus dientes antes de que fuera demasiado tarde. Cuando comenzó a dramatizar, logró que ellos actuaran.

Número 7. Esta es una demostración que uso en mi negocio para lograr que mis clientes actúen. Lo uso para dramatizar estadísticas y he visto que es muy efectivo con personas adineradas. Pongo un lapicero de tinta negra sobre el escritorio de la persona, justo al frente de él o ella, pongo al lado una moneda brillante de un cuarto de dólar y del lado opuesto pongo una moneda de diez centavos. Luego pregunto: "¿sabe qué es esto?". La respuesta suele ser: "no, ¿qué es?". Yo sonrío y digo: "el lápiz es usted cuando muera, el cuarto de dólar representa lo que tiene ahora, la moneda de diez centavos muestra todo lo que le quedará a su esposa e hijos cuando sus acreedores terminen de recaudar todo, incluyendo impuestos y otros costos". Luego digo: "señor Mehrer, permítame hacerle una pregunta. Supongamos por un momento que usted hubiera fallecido el mes pasado. Usted y yo somos los acreedores. Tenemos que convertir en efectivo las tres quintas partes de su patrimonio con el fin de cumplir con estos impuestos. ¿Cómo lo hacemos?". ¡Luego dejo que hable!

En los últimos años, se han hecho grandes avances en la dramatización. Es un método infalible para vender tus ideas. ¿Lo estás aprovechando al máximo?

Resumen

"Una imagen vale más que mil palabras". Si es posible, deja que el cliente haga la demostración. Deja que el cliente te ayude a hacer la venta.

30

Cómo encuentro nuevos clientes y hago que los viejos sean apoyadores entusiastas

El otro día estaba tratando de recordar cuántos autos había comprado a lo largo de mi vida. Me sorprendió encontrar que había comprado cerca de treinta y tres autos.

Ahora, permíteme hacerte una pregunta: ¿adivinarías cuántos diferentes vendedores me vendieron esos treinta y tres automóviles? Exacto, treinta y tres. ¿No es asombroso? Ninguno de esos vendedores intentó, ni siquiera una sola vez, que yo sepa, contactarme de nuevo. Esas personas que se veían tan interesadas en mí antes de que comprara nunca tomaron el teléfono para llamarme y saber si todo estaba bien. Tan pronto como yo pagué mi dinero y ellos recibieron su comisión, parecían desaparecer de la faz de la tierra repentinamente.

¿Es esto algo inusual? Escucha, les he preguntado a más de quince mil personas en audiencias de todo el país si alguna vez habían tenido la misma experiencia y más de la mitad han levantado la mano de inmediato.

¿Es esto una demostración de que vender automóviles es diferente a otro tipo de ventas? ¿Será que a los vendedores de automóviles les va mejor si olvidan al cliente y dedican todo su tiempo a buscar nuevos compradores? Bueno, este es el lema que una gran organización de ventas les dio a sus vendedores: nunca olviden a un cliente, nunca dejen que un cliente los olvide.

Adivinaste. Esa es una organización de ventas de autos. La Chevrolet Motor Company. Adoptándolo como su lema, alcanzaron el primer lugar en ventas comparados con el resto de fabricantes de automóviles en el mundo y permanecieron ahí durante trece de los últimos quince años de los que se tienen registros.

Ama su propiedad

Supongo que está bien decir que a todas las personas que compran algo les gusta la cortesía, la atención y el servicio. Así que no vamos a desperdiciar tiempo discutiendo eso. Seamos francos y considerémoslo desde un punto de vista egoísta.

Al reflexionar en mi propia carrera como vendedor, el mayor remordimiento que tengo es que no dediqué el doble de tiempo a hacer visitas, estudiar y servir a los intereses de mis clientes. Y esto lo digo de forma literal y sincera. Podría dar un centenar de ejemplos a partir de mis registros en cuanto a por qué esto me habría representado una mayor recompensa financiera con menos tensión nerviosa, menos esfuerzo físico y mayor felicidad.

Sí, señor, si pudiera volver a vivir toda mi carrera, este sería mi lema y lo colgaría en la pared frente a mi escritorio: nunca olviden a un cliente, nunca dejen que un cliente los olvide.

Hace unos años compré una casa bastante grande. El sitio me gustó mucho, pero costó tanto que, al cerrar el trato, me estaba preguntando si había cometido un error. Así que empecé a preocuparme. Dos o tres semanas después de mudamos a la nueva casa, el corredor de bienes raíces me llamó y dijo que quería verme. Era el sábado por la mañana. Cuando llegó, yo tenía curiosidad. Bien, él tomó asiento y me felicitó por mi sabia elección al adquirir esa propiedad. Luego me dijo muchas cosas acerca del sitio y algo de historia interesante de los alrededores. Luego me llevó a dar un paseo alrededor de esa área, me enseñó varias casas encantadoras y me dijo los nombres de los propietarios. Algunos de ellos eran personas muy prominentes. Me hizo sentir orgulloso. Ese vendedor mostró más entusiasmo y amor por mi propiedad que el que tuvo cuando estaba tratando de venderla. Pero ahora estaba muy entusiasmado por el sitio porque estaba hablando de mi propiedad.

Su visita me aseguró que no había cometido un error y eso me alegró. Me sentí agradecido con él. De hecho, esa mañana formé una fuerte simpatía por ese hombre. Nuestra relación llegó a ser más que de comprador y vendedor. Nos hicimos amigos.

Esto le costó todo un sábado por la mañana cuando habría podido salir a ver a un nuevo cliente potencial. Sin embargo, una semana después, lo llamé y le di el nombre de un amigo mío que había mostrado interés en una propiedad cerca de la mía. Mi amigo no compró esa propiedad, pero, poco después, este corredor de bienes localizó el lugar perfecto para mi amigo y obtuvo como resultado una buena venta.

Una noche, en San Petersburgo, Florida, hablé sobre este tema. La noche siguiente, uno de los hombres del público se me acercó y me contó esta historia:

"Esta mañana, una pequeña anciana vino a nuestra tienda y estuvo mirando un hermoso broche de diamantes. Terminó comprándolo y pagó con un cheque. Mientras envolvía la caja, pensé en lo que usted dijo acerca de 'amar su propiedad'. Al entregarle el paquete, comencé a hablar con más entusiasmo acerca de la joya que acababa de comprar que el que había tenido cuando se lo estaba vendiendo. Le dije cuánto me gustaba esa pieza. Le dije que ese diamante era uno de los mejores que habíamos tenido en nuestra tienda, que había venido de una de las mejores y más grandes minas de diamantes del mundo en Sudáfrica y que esperaba que viviera un gran número de años para usarlo y disfrutarlo".

"¿Sabe, señor Bettger?", dijo, "sus ojos se llenaron de lágrimas y me dijo que la había hecho muy feliz, porque había empezado a preocuparse y preguntarse si no había sido una tontería gastar tanto dinero por una pieza de joyería. La acompañé a la puerta, le agradecí sinceramente y le pedí que pasara en cualquier momento a saludarnos. Una hora después, esta anciana volvió a la tienda con otra señora mayor que se estaba quedando en el mismo hotel. Ella me presentó a su amiga como si yo fuera su propio hijo y me pidió que les mostrara la tienda. La segunda dama no compró nada tan costoso como la primera, pero sí hizo una compra. Y cuando las acompañé a la puerta principal, supe que tenía dos nuevas buenas amigas".

Nunca sabes cuándo alguien te está evaluando. Hace años, una anciana no muy bien vestida entró en una tienda por departamentos. La mayoría de empleados no le prestaron atención, pero uno de ellos la atendió con amabilidad y le llevó sus paquetes hasta la entrada. Al ver que estaba lloviendo, tomó la sombrilla de ella, la tomó del brazo y la acompañó hasta la esquina donde la ayudó tomar un tranvía. Días después, el jefe de la tienda recibió una carta de Andrew Carnegie agradeciéndoles por la cortesía que habían tenido hacia a su madre. Les hizo una orden de pedido para amoblar una nueva casa que acababa de construir.

¿Te gustaría saber qué llegó a ser aquel joven empleado que tuvo ese tipo de atención hacia un cliente? Ese vendedor hoy es el jefe de una gran tienda por departamentos en una de las principales ciudades de la costa este.

Hace un tiempo, le pregunté al señor J.J. Pocock, del 1817 con calle Chestnut de Filadelfia, uno de los mayores distribuidores de Frigidaires del país: "¿cuál es su mejor fuente de nuevos negocios?". El señor Pocock respondió a mi pregunta con una sola palabra: "los usuarios". Luego añadió algo con un énfasis muy importante que nunca olvidaré. Y lo respaldó con hechos tan motivadores que, al día siguiente, me encontré mirando cómo podía funcionar para mí. Funcionó como magia. Siempre funciona. ¡Simplemente no se puede fallar! Esto es lo que el señor Pocock dijo:

"Los nuevos clientes son la mejor fuente de nuevos negocios. ¡Los nuevos clientes!".

Le pregunté por qué. Él dijo: "los nuevos clientes están entusiasmados y felices por su nueva compra, especialmente por una nueva comodidad que están utilizando. Por lo general, están emocionados y orgullosos al respecto. Se sienten ansiosos por decirles a sus amigos y vecinos sobre su nueva adquisición. Nuestros vendedores hacen llamadas de cortesía una semana después de la instalación de todos nuestros productos eléctricos y averiguan si el nuevo usuario se siente bien con su nuevo refrigerador o lo que haya comprado. Le hace sugerencias y ofrece ayuda o servicio. Con estos nuevos usuarios puedes obtener más clientes potenciales que por cualquier otro medio".

El señor Pocock me habló acerca de las encuestas que su compañía había hecho en varias partes del país. Los resultados fueron consistentemente los mismos. Por ejemplo, en una típica ciudad del medio oeste, de cada cincuenta y cinco nuevos compradores encuestados se encontró que los vendedores habían hecho llamadas de cortesía a solo diecisiete de ellos. Ocho de esos diecisiete les habían dado a los vendedores referencias de clientes potenciales, los cuales fueron contactados, logrando ventas por $ 1.500 dólares. La sola cortesía produjo de inmediato $1.500 dólares en nuevos negocios. Pero presta atención a esto: ¿qué habría pasado si todos los cincuenta y cinco nuevos propietarios hubieran recibido llamadas de seguimiento de forma oportuna? Haz el cálculo: $ 1.500 dólares dividido en 17 llamadas=$90 dólares por llamada. $90 multiplicado por 55 = ¡$4.900 dólares!

El señor Booth dijo: "la experiencia nos ha enseñado esta lección: ¡Cuando les vendas, no los olvides!".

Y esto es otro dato importante que me dijo. "Más de la mitad de los compradores que encuestamos nos dicen que un amigo o pariente despertó en ellos el interés de comprar".

Lo último que el señor Pocock me dijo fue: "si cuidas de tus clientes, ellos cuidarán de tu empresa".

Durante muchos años he cargado una carta en mi bolsillo. Casi siempre me genera uno o más clientes potenciales a donde quiera que la uso. Con una pequeña modificación, tal vez usted pueda utilizarla.

Señor William R. Jones, Edificio Real Estate Trust, Philadelphia, Pa.

Estimado Bill:

Quiero que conozcas a Frank Bettger. En mi opinión, es uno de los asesores en seguros de vida más calificados en

Filadelfia. He depositado en él toda mi confianza y he actuado con base en sus sugerencias.

Tal vez usted no esté pensando en adquirir un seguro de vida, pero sé que le será útil escuchar al señor Bettger, porque él tiene algunas ideas muy buenas y servicios que serán de beneficio para usted y su familia.

Atentamente,

Bob

Permíteme ilustrar cómo usé esta carta hace poco. En el periódico matutino, leí que unos amigos míos de la Compañía Murphy, Quigley, destacados contratistas de construcción, habían ganado un nuevo trabajo. Veinte minutos después logré contactar por teléfono a Robert Quigley y logré acordar una cita. Cuando entré a la oficina privada del señor Quigley, fue fácil darle una gran sonrisa de agrado: "¡felicitaciones, Bob!".

Al estrechar su mano, él me preguntó: "¿felicitaciones por qué?".

Yo le dije: "acabo de leer en el *Inquirer* de esta mañana acerca de que les adjudicaron el contrato para la nueva adición a la construcción del edificio U.G.I.". "Oh, gracias", sonrió. ¿Estaba agradado? ¿Cómo podía evitar sentirse satisfecho? Le pedí que me lo contara todo al respecto". ¡Luego escuché!

Por último le dije: "mira, Bob, al preparar tu oferta, probablemente solicitaste propuestas de varios subcontratistas, ¿verdad?".

"Claro que sí", respondió.

Aquí saqué mi carta de presentación. Al entregarle la carta le dije: "Bob, es muy probable que ya les hayas prometido el trabajo a algunos de estos subcontratistas que te dieron ofertas bajas, ¿correcto?".

Sonriendo dijo: "sí, un par de ellos".

Cuando terminó de leer la carta, preguntó: "¿qué quiere que haga?, que escriba esta carta en una de nuestras hojas de membrete, dirigida a unos de estos subcontratistas?".

Salí de esa oficina con cuatro cartas de presentación dirigidas a los contratistas de fontanería, calefacción, electricidad y pintura.

No siempre es conveniente que alguien me dé una carta de presentación, así que me llevo conmigo una tarjeta de 4 x 21/2 pulgadas, la cual dice esto:

Mi amigo escribe el nombre del cliente potencial en la parte superior de la tarjeta y luego firma su nombre en la parte inferior.

Si él duda en hacerlo, yo le digo: "mira, si tu amigo estuviera aquí ahora mismo, no dudarías en presentarme, ¿verdad?".

Por lo general la respuesta es: "no, claro que no". Luego llena la tarjeta. A veces me dan varias.

En ocasiones, los hombres se niegan a darme el nombre de alguien. Hace aproximadamente un año, un cliente difícil me respondió esto: "¡a usted no lo recomendaría ni siquiera con mi peor enemigo!".

Yo le pregunté: "¿por qué?".

Él dijo: "mire, Bettger, odio a los vendedores de seguros. No me gusta verlos llegar. Si alguno de ellos entrara acá y me dijera que uno de mis amigos lo envió, ¡me enfadaría como nunca! Y llamaría a quien lo envió y se lo haría saber. "¡Puedo soportar todo menos a un agente de seguros!".

Él estaba siendo real y brutalmente franco. Pero logré sonreír y le dije: "está bien, señor Blank, creo que entiendo cómo se siente. Le diré qué voy a hacer. Deme el nombre de alguien que usted conozca que sea menor de cincuenta años y que esté ganando dinero. Le prometo que nunca le mencionaré su nombre.

"Bueno", dijo, "según eso, si puede, busque reunirse con Carroll Zeigler, fabricante del instrumental quirúrgico, en el 918 N de la calle 19, él tiene cerca de cuarenta y un años de edad y está teniendo gran éxito".

Le di las gracias por su consejo y volví a prometerle que no iba a mencionar su nombre.

Conduje directamente a la planta del señor Zeigler. Cuando entré, le dije: "señor Zeigler, mi nombre es Bettger. Trabajo en la industria de seguros de vida. Un amigo en común me dio su nombre con la condición de que no le dijera quién. Él me dijo que usted está teniendo mucho éxito y que sería bueno que yo hablara con usted. ¿Podría dedicarme cinco minutos ahora, o prefiere que pase en otro momento?".

"¿Acerca de qué quiere hablar conmigo?", preguntó.

"Acerca de usted", fue mi respuesta.

"¿Qué acerca de mí? Si quiere hablar de seguros, no estoy interesado".

"No hay ningún problema con eso, señor Zeigler", le dije, "hoy no quiero hablar con usted acerca de seguros. ¿Me concede solo cinco minutos?".

Él me concedió exactamente cinco minutos. Durante ese tiempo, pude obtener de él toda la información que necesitaba.

Desde entonces, le he hecho tres ventas al señor Zeigler, totalizando una cantidad muy importante de negocios. Esto es lo extraño: hemos llegado a ser buenos amigos, sin embargo, él nunca me ha preguntado quién me envió a él.

¿Cuándo es el mejor momento para procurar contactar a un referido? ¿En un plazo de seis días? ¿Seis semanas? He aprendido que lo mejor son seis minutos o tan pronto como sea posible contactarlo. ¡Un nuevo referido es algo muy caliente! Si no voy tras él de inmediato, mientras todavía está caliente, termino postergándolo y dejándolo en alguna parte de mis archivos, y pierdo el interés. Si, tiempo después, me encuentro con esta información, es como lo que dice uno de los mejores vendedores jóvenes de mi empresa, John Lord: "parece una rodaja de pan rancio".

Nunca sabemos qué pueda haber detrás de uno de estos referidos. Muchas veces, el amigo que le da el referido está familiarizado con alguna situación puntual que no está autorizado a revelar.

Aprecio

Esta es una cortesía que, en mi opinión, es tan importante como conocer el nombre del referido. Pase lo que pase, bueno o malo, siempre le informo a quien tuvo la confianza en mí para referirme a otra persona. El no informar es toda una ofensa para esa persona. Puede que nunca lo mencione, pero quizás siempre lo tenga como algo en tu contra. Lo sé. He estado en ambos extremos y he sentido la reacción negativa para el que da la referencia como para el que la recibe.

Por otra parte, cuando informo que hice una venta y muestro agradecimiento, mi amigo se siente igual de feliz al respecto como yo. Si no logro hacer una venta, lo informo y digo exactamente lo que pasó. Es sorprendente ver con cuanta frecuencia buscará otro referido mejor.

Hace poco, estuve almorzando con el presidente de un gran banco en una ciudad de la costa occidental. Él me dio una copia del tipo de carta que han considerado como la más eficaz para expresar agradecimiento a clientes que le presentan el banco a sus amigos:

Estimado señor Brown:

Quiero que sepa cuánto apreciamos el que haya traído al señor Smith a nuestro banco. El espíritu de amistad y cooperación que ha mostrado al traer al señor Smith y otros amigos al First National Bank ha sido de gran placer para nosotros. Siempre estaremos dispuestos a prestarle a usted y a sus amigos el tipo de servicio que desean tener.

Atentamente,

Hace muchos años tuve la gran emoción de ver a Willie Hoppe ganar el Campeonato mundial de billar. Me sorprendió la cantidad de tiempo que dedico a estudiar algunos pequeños golpes simples que incluso yo habría podido hacer. Pronto comprendí que no eran esos tiros fáciles los que él estaba analizando, él estaba pensando en cómo iba a jugar la posición para la siguiente jugada y tal vez las próximas doce. El oponente de Hoppe parecía ser igual de bueno en sus jugadas, pero con demasiada frecuencia se dejó a sí mismo en una mala posición para su siguiente turno.

Ahora puedo entender mejor cómo es que logró alcanzar ese increíble registro mundial al lograr más de quince millones de puntos en el billar, manteniendo el título durante cuarenta y tres años. ¡Trata de igualar ese récord en cualquier otro deporte!

La gran lección que aprendí de Willie Hoppe esa noche, y que siempre ha estado fresca en mi mente, es la siguiente: en las ventas, así como en el billar, es igual de importante jugar la posición para la siguiente jugada. De hecho, ¡ese es el elemento vital de nuestro negocio!

Escuché que Robert B. Coolidge, vicepresidente de la compañía de seguros Aetna Life, en Hartford, Connecticut, lo dijo de esta manera: "la consecución de clientes es como afeitarse... si no haces algo al respecto todos los días, lo primero que sabrás es que eres un vago".

Resumen

1. "Nunca olvides a un cliente, nunca dejes que un cliente te olvide".

2. "Si cuidas de tus clientes, ellos cuidarán de ti".

3. Ama SU propiedad

4. Los nuevos clientes son la mejor fuente de nuevos negocios... ¡nuevos clientes!

5. ¿Cuándo es el mejor momento para procurar contactar a un referido? ¿Dentro de seis días... o seis semanas...? He visto que lo mejor es dentro de seis minutos.

6. Nunca dejes de mostrar tu aprecio por un referido. Informa los resultados, sean buenos o malos.

7. Juega la posición para la siguiente jugada.

31

Siete reglas que uso para cerrar la venta

Seguramente recordarás que hubo un momento en el que llegué a estar muy desanimado. Creo que habría renunciado si no hubiera tenido la idea de tratar de llegar a la raíz de mis preocupaciones aquél sábado por la mañana.

En primer lugar me pregunté: "¿cuál es el problema?". Este era el problema: no estaba recibiendo suficientes ventas ante la asombrosa cantidad de visitas que estaba haciendo. Me iba bien haciéndole la venta a un cliente potencial, hasta cuando llegaba el momento de cerrar la venta. En ese punto, el cliente decía: "bueno, señor Bettger, voy a pensarlo. Vuelva a verme en otro momento". El tiempo que perdía con llamadas de seguimiento era la causa de mi depresión.

En segundo lugar, me pregunté: "¿cuáles son las posibles soluciones?". Para esa respuesta, saqué mi libro de registros de los últimos doce meses y estudié los hechos. ¡Esto me llevó a un descubrimiento asombroso! El setenta por ciento de mis ventas las había cerrado en la primera entrevista. El veintitrés por ciento de ellas las había cerrado en la

226

segunda entrevista. Y solo siete por ciento de las ventas las había hecho en la tercera, cuarta, quinta o más entrevistas. En otras palabras, estaba desperdiciando la mitad de mi día de trabajo en negocios que pagaban solo el siete por ciento. La respuesta era obvia. De inmediato, corté con todas las visitas que fueran más allá de la segunda entrevista y dediqué el tiempo extra para generar nuevos clientes potenciales. Los resultados fueron asombrosos. Al poco tiempo, había elevado el valor efectivo por cada visita de $2,80 dólares a $ 4,27 por cada visita.

Ahora bien, ¿será que esta misma conclusión funciona en cualquier línea de venta? Es probable que ya hayas dado respuesta a esa pregunta. Permíteme dar un ejemplo: durante dos años, una gran empresa industrial hizo un estudio de informes entregados por toda su fuerza de ventas. ¡Quedaron sorprendidos al encontrar que el 75 por ciento de los negocios generados por sus vendedores se lograban después de la quinta entrevista! Pero presta atención a esto: también descubrieron que el 83 por ciento de sus vendedores con menor índice de ventas dejaban de visitar a clientes potenciales que no habían comprado ¡antes de la quinta entrevista!

¿Qué demuestra esto? Demuestra, una vez más, la importancia de llevar registros completos y estudiarlos con regularidad. El gran beneficio para el vendedor y para la empresa ha quedado demostrado tantas veces, que me pregunto por qué no todos los ejecutivos de ventas hacen que esto sea algo *absolutamente obligatorio*.

Aunque mi hallazgo me llevó a duplicar mis ingresos eliminando todas las visitas más allá de la segunda entrevista, las cifras también demostraron que solo cerraba una venta por cada doce visitas. Yo todavía no sabía cómo llevar a la gente a tomar una decisión.

Poco después, tuve la fortuna de escuchar al doctor Russell H. Conwell, fundador de la Universidad Temple, hablar en el Y.M.C.A. central de Filadelfia. Su tema fue "Las cuatro reglas de un buen discurso". Antes de terminar su inspiradora charla, el doctor Conwell dijo: "número cuatro. ¡Invita a la acción! Es en esto en lo que muchos buenos oradores fallan. Ellos convencen al mundo en general con sus argumentos, pero no ganan el apoyo de su público. Han divertido a su audiencia, los han entretenido, pero no venden nada". Esta ha sido la base más emocionante para el clímax de una charla desde los comienzos de la oratoria...

¡Invitar a la acción! Era ese punto en el que yo había estado fallando. Empecé a leer todo lo que pude encontrar acerca del tema de cómo cerrar la venta. Encontré que probablemente se había escrito más acerca de esto que de cualquier otra etapa en el proceso de venta. Hablé con los vendedores de primera categoría para saber qué tenían que decir en cuanto al llamado a la acción. Todo esto, junto con otros elementos que habían surgido a partir de mi propia experiencia, me condujeron a las siguientes siete reglas sobresalientes que han sido la causa del progreso que hice para llevar a las personas a una decisión:

1. Ahorra los puntos de cierre para el cierre

En mi afán por vender, había estado utilizando puntos de cierre demasiado pronto en la entrevista. Aprendí que la venta de éxito, en promedio, pasa por cuatro etapas: (1) atención, (2) interés, (3) deseo, (4) cierre.

Cuando comencé a guardar mis puntos de cierre para el final, esto le daba a mi cliente potencial la posibilidad de juzgar mi plan con una mente abierta. Evitaba que se generara demasiada resistencia a las ventas. Luego, cuando era la hora de la acción, ¡tenía algo para emocionarme! Mis mejores argumentos fueron mejorando, tenían más poder en sí mismos. En lugar de obligarme a mí mismo a ser entusiasta, a veces tenía que reprimir mi emoción. Y encontré que la emoción reprimida es más eficaz para despertar entusiasmo en el cliente potencial al momento del cierre de la venta.

2. Resume

Descubrí que un buen resumen proporciona la mejor base para el clímax en las ventas. ¿Cuánto tiempo debe durar el resumen? Un gran director de mercadeo usa una excelente prueba. Él hace que cada uno de sus vendedores resuma las ventajas de su producto, mientras sostiene un cerillo encendido. Un resumen siempre debe ser breve.

Me parece más efectivo cuando logro que sea el cliente quien hace el resumen. Esto lo pone en acción. Le digo: "¿puede escribir lo siguiente?". Y repito el resumen en pocas palabras: "número uno... número dos... número tres... número cuatro...". Es un clímax natural en el que haces que el comprador siga tu ritmo, hasta el punto en el que él mismo te ayudará a cerrar la venta.

3. Una frase mágica

Después de presentar el plan y resumir, miro al cliente potencial y pregunto: "¿cómo le parece?".

Es sorprendente cuán frecuente la respuesta es: "creo que me gusta". Yo asumo que esto quiere decir que va a comprar, así que no espero más. Comienzo a hacer las preguntas necesarias y a escribir sus respuestas en el formulario de solicitud. Siempre empiezo con preguntas poco importantes. Cuando ya ha comenzado a darme las respuestas, rara vez se resiste. Cuando hay alternativas en el plan, hago que elija entre las opciones.

Creo que es importante mencionar que, durante la presentación, trato de obtener un par de "respuestas afirmativas" por parte del cliente potencial. Por ejemplo, después de mostrarle una buena característica, digo: "¿le parece esta una buena idea?". Por lo general, asentirá y dirá "sí".

4. Acepta las objeciones

Me tomó mucho tiempo entender que los mejores clientes potenciales son los que presentan objeciones. Quedé sorprendido cuando vi que muchas de las objeciones que, a mi parecer, eran para deshacerse de mí, en realidad eran señales de compra. Por ejemplo: "no puedo pagarlo ahora... búsqueme en enero... búsqueme en la primavera... quiero pensarlo... quiero conversarlo con mi esposa... su precio es demasiado alto".

Aprendí que este tipo de objeciones no son rechazos. Ejemplo, si la objeción es: "no puedo pagarlo", en realidad me está diciendo que lo quiere. Así que el único problema es mostrarle cómo puede pagarlo. Las personas rara vez se resienten cuando un vendedor está siendo persistente o está presionando si lo que él dice es algo que les interesa. De hecho, así lo admiran y lo respetan más.

5. ¿Por qué?... además de eso...

Debo volver a la frase: "además de eso...". Trato de retener esta pregunta como mi último as bajo la manga. Durante toda la entrevista uso "¿por qué?" de diferentes formas. No siempre uso la palabra en sí, sin embargo, sigo preguntando "¿por qué?".

Permíteme dar un ejemplo de una venta que hace unos años me contó un vendedor que asistió a nuestro curso en Chattanooga, Tennessee. Este vendedor había llegado a ese punto de la entrevista en el que el cliente potencial dijo:

"Bueno, en este momento no voy a hacer nada al respecto... contácteme en el otoño, después del quince de septiembre".

"Ahí es donde yo había estado perdiendo", dijo el vendedor.

Presta atención a la manera como él le devolvió la pelota al cliente potencial en la siguiente venta, la venta de un curso de formación empresarial:

Cliente potencial: contácteme después del quince de septiembre.

Vendedor: señor Carroll, si su jefe lo llamara mañana en la mañana para que fuera a su oficina y le ofreciera un aumento de sueldo, usted no diría: "no, contácteme después del quince de septiembre, ¿correcto?".

Cliente potencial: no, claro que no. Él pensaría que yo estoy loco.

Vendedor: bueno, ¿no es eso lo que en cierto sentido me está diciendo ahora? Solo escriba su nombre acá *(indicando la línea punteada)* así como está escrito en la parte de arriba y, para el quince de septiembre, ya habrá completado varias lecciones.

Cliente potencial *(tomando formulario de solicitud)*: déjeme esto y cualquier otra literatura que tenga. Lo pensaré y le informaré la próxima semana.

Vendedor: ¿por qué no lo firma?

Cliente potencial: no creo que deba tomar este curso ahora.

Vendedor: ¿por qué?

Cliente potencial: bueno... no puedo pagarlo.

Vendedor *(pausa)*: *además de eso*, ¿hay algo más en su mente?... ¿habrá alguna otra cosa que le impida tomar esta importante decisión?

Cliente potencial: no, esa es la única razón. Siempre parezco estar con poco dinero.

Vendedor: señor Carroll, *si usted fuera mi hermano, le diría lo siguiente*:

Cliente potencial: ¿qué cosa?

Vendedor: escriba su nombre aquí ahora y ¡comencemos!

Cliente potencial: ¿cuál es la cantidad mínima que puedo pagar ahora y cuánto tendría que pagar mensualmente?

Vendedor: usted diga la cantidad que puede pagar ahora y yo le diré si puede comenzar.

Cliente potencial: ¿estaría bien $25 dólares ahora y $10 al mes?

Vendedor: trato hecho. Escriba aquí si nombre (x) y ya habrá dado el primer paso.

Cliente potencial: *(firma la solicitud)*.

6. Pídele al cliente potencial que escriba su nombre aquí

X

Siempre escribo a lápiz una "X" bien clara en donde el cliente potencial debe firmar. Simplemente le entrego mi lapicero, le indico dónde está la X y digo: "por favor, escriba aquí su nombre igual como lo escribí en la parte de arriba". Siempre que sea posible, procuro llenar por completo la solicitud. Por lo menos trato de siempre escribir su nombre y dirección en la parte de arriba.

7. Obtén un cheque junto con la orden. No tengas miedo del dinero

Muchos vendedores exitosos afirman que pedir dinero junto con la orden es uno de los elementos más poderosos al cerrar la venta. Así el comprador pone un mayor valor y más aprecio por tu producto o servicio. Tan pronto paga algo, siente que el producto le pertenece. A veces, cuando un cliente potencial tiene tiempo para revisar y pensar a solas, puede optar por posponer la acción, pero nunca nadie ha cancelado una orden después de haber pagado parte de la cuenta.

¿Cuándo es el momento adecuado para cerrar la venta? A veces, es en el primer minuto.

¡A veces, no se puede hacer durante una o dos horas! ¿Cómo puedes saber cuál es el momento adecuado para cerrar la venta? ¿Alguna vez has visto a un gran luchador en la acción? Joe Louis fue uno de los más grandes cerradores que jamás haya entrado al cuadrilátero. Vi a Joe cerrar tres de sus peleas de campeonato. La multitud lo observaba conteniendo el aliento, porque Joe todo el tiempo estaba alerta, poniendo a prueba a su oponente, esperando pacientemente el momento oportuno. A veces, el momento llegaba justo en la primera ronda. A veces debía esperar diez o doce rondas. Pero Joe seguía con rapidez cada señal de cierre. Si veía que se había equivocado, este maestro del cierre reanudaba su trabajo de venta. Él sabía que con cada intento se acercaba más al momento oportuno. Sin embargo, nunca se mostraba demasiado ansioso.

Tras años de experiencia, encontré que mi proceso de venta iba mejorando poco a poco, y me hice menos consciente de cualquier esfuerzo final por cerrar la venta. Si mi método es correcto, si he logrado crear suficiente interés y deseo, entonces, cuando llegue el momento de la acción, el cliente potencial estará listo y deseoso de comprar.

Apenas he intentado, de forma muy breve, explicar cómo uso ciertas ideas que han sido de gran ayuda para mí, elementos que, a mi parecer, se pueden utilizar en todo tipo de venta. Para un tratamiento más completo del cierre de la venta, puedo recomendar ampliamente el libro de Charles B. Roth, *Secrets of Closing Sales*, publicado por Prentice-Hall, Inc., New York.

Yo tenía estos tres puntos escritos en una tarjeta de 3x5 pulgadas y, durante algún tiempo, la cargué en mi bolsillo. En la parte superior de la tarjeta, estaban escritas en negrilla las siguientes palabras:

ESTA VA A SER LA MEJOR ENTREVISTA QUE JAMÁS HAYA TENIDO

Justo antes de entrar a la oficina de alguien, repetía esas palabras para mis adentros. Esto se convirtió en un hábito. Y, aún hoy en día, a veces me sorprendo repitiendo lo mismo.

Sin embargo, el gran valor de la pequeña tarjeta de 3x5 pulgadas, era este: después de una entrevista sin éxito, me evaluaba con la tarjeta para ver qué había hecho mal o qué habría podido hacer de otra manera. ¡Esa era la prueba de fuego!

RESUMEN

Recordatorios de bolsillo

ESTA VA A SER LA MEJOR ENTREVISTA QUE JAMÁS HAYA TENIDO

1. Ahorra los puntos de cierre para el cierre. Los cuatro pasos en las ventas promedio: (1) atención, (2) interés, (3) deseo, (4) cierre.

2. Resume. Siempre que sea posible, deja que el cliente potencial resuma. ¡Ponlo en *acción*!

3. "¿Cómo le parece?". Después de concluir la presentación, haz esta pregunta. ¡Es mágica!

4. ¡Acepta las objeciones! Recuerda: los mejores clientes potenciales son los que presentan objeciones.

5. "¿Por qué? Además de eso...". Preguntar *¿por qué?* hace que el cliente hable y exponga sus objeciones. *Además de eso...* encuentra la *verdadera* razón o el problema esencial.

6. Pídele al cliente potencial que escriba su nombre aquí.

   X _____

   Llena rápido la solicitud o la orden de pedido. Intenta al menos tener escrito su nombre en la parte de arriba. Nunca sabrás si pudiste haber cerrado la venta a menos que de verdad hayas intentado hacerlo.

7. Obtén un cheque junto con la orden. No tengas miedo del dinero. Los vendedores exitosos dicen que pedir dinero es uno de los elementos más poderosos para cerrar la venta.

   Entrénate a diario en cuanto a estas reglas de cierre.

   Aplícalas hasta que se vuelvan hábitos.

32

Una asombrosa técnica de cierre de ventas que aprendí de un vendedor experto

En 1924, aprendí una asombrosa técnica de cierre de ventas de un vendedor experto llamado Ernest Wilkes. Al momento de su descubrimiento, el señor Wilkes llevaba las cuentas para la compañía Metropolitan Life Insurance en San Francisco, California, recaudando primas semanales de diez y quince centavos de parte de asegurados industriales. Como vendedor, no ganaba mucho. Con su pequeño salario y comisiones, apenas alimentaba y vestía a su esposa e hijos, y no le quedaba nada para él mismo. Su ropa no era la más adecuada y estaba en mal estado; las mangas de su abrigo y de su camisa estaban deshilachadas.

La mayor dificultad de Wilkes para vender, me dijo, era que él usaba todos sus argumentos en la primera entrevista y terminaba con el cliente potencial diciéndole: "déjeme la información y lo pensaré. Vuelva la próxima semana".

"Cuando volvía", decía Wilkes, "no sabía qué decir, porque ya le había dicho todo en la primera entrevista. La respuesta siempre era la misma: 'bien, señor Wilkes, lo he pensado y no puedo hacer nada ahora... esperemos hasta el próximo año'".

"Pero un día, una idea vino a mi mente", relataba Wilkes emocionado. "¡Y funcionó como magia! ¡Empecé a cerrar ventas cuando volvía para la segunda entrevista!".

Al escuchar cómo explicaba su método, no me pareció bueno. Sin embargo, tomé la decisión de intentarlo. A la mañana siguiente, llamé a un constructor llamado William Eliason que trabajaba en Land Title and Trust Building, en Philadelphia. Diez días antes le había presentado un plan al señor Eliason y él había dicho: "deja esto conmigo y vuelve a verme en unas dos semanas. También estoy considerando planes de otras dos empresas".

Seguí al dedillo las instrucciones del señor Wilkes y esto es lo que sucedió: primero completé la solicitud antes de hacer la visita, introduciendo todos los datos que tenía como nombre completo, dirección de empresa y de residencia, y también el monto de seguro que el cliente potencial estaba considerando. Luego puse una gran "X" sobre la línea punteada donde el solicitante debía firmar.

Wilkes habían hecho énfasis en hacer esto de la "X"

X _____

Firma del solicitante

Cuando entré en la recepción de la oficina, la puerta de la oficina privada del señor Eliason estaba abierta. Estaba sentado ante su escritorio. En ese momento, la recepcionista no se encontraba allí. Él se asomó y me reconoció. Meneando la cabeza, hizo un gesto con la mano diciendo: "¡hasta luego!".

Empeñado en seguir las instrucciones al pie de la letra, caminé hacia mi cliente con una expresión seria (en momentos como este, una sonrisa no es lo apropiado). El señor Eliason dijo, en un tono serio: "no, no voy a hacer nada. He decidido abandonar la idea. Quizás lo retome dentro de seis meses".

Mientras hablaba, sin detenerme, deliberadamente saqué el formulario de solicitud de mi bolsillo y lo abrí. Cuando llegué a su lado, lo puse sobre su escritorio justo frente a él.

Luego dije las primeras palabras que Wilkes me dijo que dijera: "¿esto es correcto señor Eliason?

Mientras leía, saqué mi lapicero del bolsillo de mi chaleco, lo ajusté para escribir, pero permanecí en silencio. En realidad estaba asustado. Todo esto parecía mal.

En seguida él levantó la vista: "¿qué es esto, una solicitud?"

La respuesta fue "no".

"¡Y hablo en serio! Aquí dice 'solicitud', justo en el encabezado", indicó él.

"Mientras usted no escriba su nombre aquí, no puede ser una solicitud", le dije (mientras hablaba, le entregué mi lapicero abierto y con un dedo le indiqué la línea punteada).

¡Él hizo exactamente lo que Wilkes había dicho que haría, tomó el lapicero de mi mano, al parecer sin estar consciente de que lo había hecho! Hubo más silencio mientras leía. Por último, se levantó de su silla, caminó lentamente hacia la ventana y se apoyó contra la pared. Debió haber leído cada palabra en ese papel. Durante todo este tiempo hubo un silencio absoluto. Debieron pasar unos cinco minutos hasta que volvió a su escritorio, se sentó y comenzó a escribir su nombre con mi lapicero. Mientras lo hacía, dijo: "supongo que mejor firmo esto. ¡Si no lo hago, voy a estar con miedo de morirme!".

Tratando de hacer un gran esfuerzo para controlar mi voz, logré decir: "¿prefiere darme un cheque por el año completo, señor Eliason, o prefiere solo pagar la mitad ahora y el resto en seis meses?". "¿Cuánto es?", preguntó él.

"Solo 432 dólares", contesté.

Sacó su chequera de un cajón, le dio una mirada y dijo: "oh, bueno, mejor pago todo ahora, si no lo hago, estaré igual de limitado dentro de seis meses".

Cuando me entregó el cheque y mi lapicero, ¡por lo visto lo único que yo podía hacer era contenerme para no dejar escapar un gran grito! El cierre de ventas milagroso que Ernest Wilkes descubrió y que sonaba tan poco natural, ¡resultó ser un natural!

Nunca nadie se ha enfadado conmigo por intentarlo. Y, cuando falla, nunca impide que pueda volver en otro momento para tratar de completar la venta.

¿Cuál es la psicología detrás de esto? No lo sé. Quizás sea esto: haces que la mente de la persona permanezca concentrada en firmar y no en negarse. Finalmente desplazar todas las razones por las que no debería hacerlo, hasta que su mente sigue inconscientemente pensando solo en todas las razones por las que sí debería hacerlo. Todos los pensamientos tienden a pasar a la acción.

Si tu cliente potencial entiende claramente tu propuesta, y tú crees que si procede es para su beneficio, ¿por qué empezar de ceros en la segunda entrevista? ¿Por qué no poner la pelota en la línea de una yarda? ¿Qué suele suceder cuando un equipo acorrala al otro equipo en la línea de una yarda? ¡Hay anotación! ¿No es eso cierto? ¡Hay anotación! El equipo con la pelota alcanza tal estado de emoción y siente que nada lo puede detener. Ellos esperan anotar y, por lo general, lo hacen. Sus oponentes están en la defensa. Están huyendo. El impulso los arrastra sobre la línea.

Si bien este cierre es se debe usar en esencia en la entrevista final, creo que muchas veces la venta se hace en la primera entrevista, solo que no nos damos cuenta. A menudo, al usar esta técnica, he podido cerrar ventas en la primera entrevista que había estado evitando en un principio.

Esta es una experiencia extraña. Después de haber estado utilizando esta idea durante casi tres años, una gran institución financiera me hizo una oferta. Era bastante halagadora. Al final de la primera entrevista, acordamos que yo iba a pensarlo, y acordamos una segunda cita para diez días después. Durante ese tiempo, hablé al respecto con varios amigos, hombres mayores con amplia experiencia. Mi decisión final fue rechazar la oferta.

Diez días después, cuando un funcionario de la compañía me condujo a una atractiva oficina, vi mi contrato sobre su escritorio, quedó justo frente a mí cuando tomé asiento. Estaba completamente elaborado a mi nombre, había un hermoso sello de oro en la parte inferior y una "X" en la línea punteada ¡donde yo debía firmar!

Lo leí en silencio por un rato.

Nadie dijo una palabra.

De repente, todas las razones por las que había decidido no aceptar la oferta desaparecieron de mi mente. Todas las razones por las que debería aceptar comenzaron a cruzar por mi cabeza... "el salario era muy bueno, yo podía contar con él en su totalidad, ya fuera que estuviera enfermo o sano, en situaciones buenas o en malas... esa era una muy buena empresa para trabajar en ella...".

Cuando levanté la vista y comencé a decirle a este funcionario que había decidido no aceptar su oferta y mis razones para esa decisión, parecía como si estuviera repitiendo un guion memorizado de algo que no quería decir. Pero, para mi sorpresa, ¡él permaneció frío! Extendió su mano, estrechó la mía afectuosamente y dijo: "lo siento, señor Bettger, nos habría gustado tenerlo con nosotros. Pero le deseo toda la suerte del mundo, y espero que sea muy feliz y exitoso".

Lo extraño de la entrevista fue que en ningún momento noté, sino hasta cuando salí de su oficina, que este hombre había utilizado la misma técnica que yo había estado utilizando durante tres años, ¡sin embargo, yo no tuve consciencia de esto mientras sucedía! Sí, es natural. ¡Incluso tuve su lapicero en mi mano, pero no recuerdo que me lo hubiera entregado! Él se habría sorprendido si hubiera sabido cuán cerca estuve de firmar ese contrato. Si no hubiera renunciado después del primer intento, si hubiera permanecido conmigo un poco más de tiempo... yo habría firmado.

Por cierto, ¿te gustaría saber qué pasó con Ernest Wilkes, aquel hombre sin dinero y mal vestido, que vendía seguros industriales y que descubrió esta idea para cerrar ventas?

Ernest Wilkes llegó a ser el vicepresidente de la corporación más grande del mundo, la Compañía Metropolitan Life Insurance. Al momento de su prematura muerte en 1942, era considerado como el próximo en línea para asumir la presidencia de esa gran empresa.

Resumen de los pasos para el cierre de ventas y recordatorios de bolsillo

1. Con antelación completa, el formulario de orden de pedido o contrato, aunque es posible que la única información que tengas para introducir sea el nombre y la dirección del cliente potencial.

2. Escribe una notoria "X" en cada lugar donde deba firmar, si así es requerido.

3. Tus primeras palabras: "¿esto está correcto, señor Blank?", poniendo la hoja sobre su escritorio, justo frente a él. Si se trata de una entrevista de pie, pon la hoja abierta en sus manos.

4. La pelota ahora está en su última yarda. ¡El impulso es tuyo! Uno de los mejores servicios que alguien puede darle a otra persona es ayudarle a tomar una decisión inteligente.

RESUMEN DE LA QUINTA PARTE

Recordatorios de bolsillo

1. No trates de lanzar la estacha, lanza la cuerda guía. El acercamiento debe tener un solo objetivo: vender la entrevista de ventas, no tu producto, sino tu entrevista. Es la venta antes de la venta.

2. El cimiento de las ventas radica en obtener entrevistas. ¡Y el secreto para lograr entrevistas buenas, amables y corteses está en vender citas! El secreto de hacer citas es dejar de tratar de batear un cuadrangular y limitarse a procurar llegar a primera base. Vende primero la cita. Luego vende tu producto.

3. ¡La mejor manera de ser más astuto que las secretarias y operadoras es nunca intentar serlo! Sé honesto y sincero con ellas. Llévalas a confiar en ti. Nunca utilices engaños o subterfugios.

4. "Si quieres ser una estrella en el juego de las ventas, debes tener tus fundamentos, el abecé de tu trabajo, tan firmemente arraigados en tu mente, que hagan parte de ti..." Escribe tu presentación de ventas palabra por palabra. Mejóralo continuamente. Léelo y vuélvelo a leer hasta que lo sepas. Pero no lo memorices. Ensáyalo con tu esposa, tu gerente y otros vendedores. Preséntalo hasta que lo ames. Knute Rockne lo dijo de esta manera: "practica... practica... practica".

5. Aproveche al máximo la dramatización. "Una imagen vale más que mil palabras". Haz que el cliente haga la presentación. Deja que el cliente te ayude a hacer la venta.

6. "Nunca olvides a un cliente, nunca dejes que un cliente te olvide". Los nuevos clientes son la mejor fuente de nuevos negocios... ¡nuevos clientes! Procura contactar a un referido mientras todavía está fresco. Informa acerca de los resultados, ya sean buenos o malos. Haz tus movimientos pensando en la siguiente jugada.

7. Repasa todos los días las normas para el cierre de la venta. Aplícalas hasta que sean algo tan natural como respirar.

Después de que tengas una entrevista poco exitosa, revisa los recordatorios de bolsillo del capítulo 31 para ver qué has hecho mal o qué podrías haber hecho de otra manera. Ésa es la prueba definitiva.

SEXTA PARTE

No tengas miedo de fallar

33

¡No tengas miedo de fallar!

Era una hermosa tarde de sábado en el verano de 1927, y treinta y cinco mil aficionados al béisbol tremendamente emocionados llenaban el Shibe Park, de Filadelfia. Abucheaban a Babe Ruth ¡y, bueno!, Bob Grove, uno de los mejores lanzadores zurdos de todos los tiempos, acababa de ponchar por segunda vez consecutiva a Babe Ruth con tres lanzamientos. Había dos corredores en las bases.

Cuando este gran bateador regresó a la banca en medio de los salvajes y agresivos abucheos, levantó la mirada hacia las gradas, sonrió serenamente así como lo había hecho la primera vez, levantó un poco su gorra por encima de su frente sudorosa, bajó la escalera y tomó su vaso de agua.

Estando en la octava entrada, cuando salió para su tercer turno al bate, la situación era crítica. Los Atléticos estaban por encima de los Yankees 3-1. Las bases estaban llenas y tenían dos *outs* en contra. Cuando Babe tomó su bate favorito y empezó a caminar hacia el plato, la multitud se levantó al tiempo como si se les hubiera indicado que lo hicieran. ¡La emoción era enorme!

"¡Pónchalo de nuevo!", le gritaban los aficionados a Grove. Acomodándose alrededor del montículo de lanzamiento, era fácil ver que el gran zurdo sabía que lo haría.

Cuando este poderoso bateador tomó su posición, la multitud se puso histérica. Hubo una pausa. Mickey Cochrane, el gran receptor de los Atléticos, tomó posición para dar la señal. Grove lanzó uno con la velocidad del rayo. Ruth lanzó un batazo pero falló. "¡Strike uno!", rugió el árbitro. Una vez más la señal, y el lanzamiento pasó demasiado rápido como para poder seguirlo. Una vez más, Babe hizo ese gran movimiento y falló: "¡strike dos!", rugió de nuevo el árbitro.

Ruth se tambaleó y cayó al suelo. Literalmente se había hecho rodar sobre sus pies. Se hizo una gran nube de polvo cuando este gran jugador quedó tirado en el suelo. La multitud estaba enloquecida. Yo miré a un desconocido que estaba sentado a mi lado y le grité algo al oído. Pero el ruido era tanto, que ni siquiera podía oír mi propia voz. Finalmente el Bambino volvió a ponerse de pie, se sacudió el polvo de sus pantalones, se secó las manos y se alistó para el siguiente lanzamiento. Grove lanzó la pelota tan rápido que ninguno de los aficionados la vio. Babe lanzó su batazo, ¡pero esta vez conectó! Pasó solo una fracción de segundo antes que alguien pudiera darse cuenta de lo que había sucedido. ¡Esa pelota nunca iba a volver!

Desapareció por encima del marcador y pasó por encima de las casas del otro lado de la calle, uno de los batazos más largos jamás hechos en el béisbol.

Mientras Babe Ruth corría al trote alrededor de las bases y el plato, después de los demás corredores, completando así la que resultaba ser la carrera ganadora, toda la multitud comenzó a darle una gran ovación.

Observé atentamente a Ruth cuando levantó la vista hacia las gradas, se quitó la gorra con esa pequeña sonrisa, y vi que la expresión de su rostro era exactamente igual a las dos anteriores, cuando el público lo abucheaba.

Más adelante, en esa misma temporada, después de que los Yankees se aseguraron el banderín de la Liga americana, Grantland Rice entrevistó a Ruth. "Babe", preguntó él, "¿qué haces cuando enfrentas una mala racha de bateo?". Babe respondió: "yo solo sigo saliendo y sigo haciendo mis movimientos. Sé que la vieja ley de los promedios será igual de buena para mí como para cualquier otra persona si tan solo sigo moviendo el bate como debe ser. ¿Por qué he de preocuparme si me ponchan dos o tres veces en un juego o si durante una semana no logro conectar un cuadrangular? Dejemos que los lanzadores se preocupen, ellos son los que van a sufrir más adelante".

Esta fe inquebrantable en hacer que la ley de los promedios funcionara para él le permitió a Babe Ruth aceptar con una sonrisa sus malos momentos y fracasos. Esta simple filosofía tuvo mucho que ver con que él llegara a ser el mejor bateador en la historia del béisbol. Su actitud para tomar con calma lo bueno y lo malo lo convirtió en uno de los más grandes hombres del espectáculo de este deporte, una de las mayores atracciones de taquilla y el jugador mejor pagado de todos los tiempos.

¿Por qué, cuando leemos acerca de los grandes logros de hombres de éxito en los deportes o en el trabajo, rara vez escuchamos acerca de sus fracasos? Por ejemplo: ahora leemos sobre el increíble récord del inmortal Babe Ruth, un total al que nadie se ha acercado de 714 cuadrangulares, pero el récord mundial al que nadie se ha acercado está cuidadosamente enterrado entre los registros para nunca ser mencionado, pues él fue ponchado más veces que cualquier otro jugador en la historia. ¡Falló 1.330 veces! Mil trescientas treinta veces que sufrió la humillación de volver de regreso a la banca en medio de burlas y ridículo. Pero él nunca permitió que el miedo al fracaso lo detuviera o debilitara su esfuerzo. Cuando lo ponchaban, él no lo contaba como un fracaso, ¡eso era esfuerzo!

¿Tus fracasos te desaniman? ¡Escucha! Tu promedio puede ser tan bueno como el de cualquiera. No culpes a tus fracasos si no encuentras tu nombre en la lista de las personas exitosas. Examina tus registros. Probablemente descubras que la verdadera razón es la falta de esfuerzo, poca exposición. No les das a los promedios del anciano la oportunidad suficiente como para que obren a tu favor.

Estudia este medio: en 1915, Ty Cobb estableció el asombroso récord de robar 96 bases. En 1922, siete años después, Max Carey de los Piratas de Pittsburgh estableció el segundo mejor récord, 51 bases robadas. ¿Significa esto que Cobb era dos veces mejor que Carey, su rival más cercano? Voy a dejar que seas tú quien decida.

Estos son los datos:

	Cobb	Carey
Intentos	134	53
Falló	38	2
Tuvo éxito	96	51
Promedio	71%	96%

Vemos que el promedio de Carey es mucho mejor que el de Cobb, pero Cobb lo intentó 81 veces más que Carey. Sus 81 intentos produjeron 44 más bases robadas. Se arriesgó al fracaso 81 veces más en una temporada que su rival más cercano. Cobb pasará a la historia como el mayor robador de bases de todos los tiempos. Él, por lo general, es considerado como el mejor jugador de todos los tiempos.

Ty Cobb se negó a temerle al fracaso. ¿Le dio resultado? Bueno, Ty ha podido vivir jubilado cómodamente durante dieciocho años y considera prudente pagar primas anuales por una gran cantidad de seguros de vida de modo que los ejecutores de su patrimonio tengan suficiente dinero para pagarle al Tío Sam los impuestos sobre el patrimonio.

¿Crees en ti mismo y en las cosas que quieres hacer? ¿Estás preparado para muchas adversidades y fracasos? No importa cuál sea tu vocación, es probable que cada error, cada fracaso sea como un *out* en tu contra. Tu mayor activo es la cantidad de ponches que tengas desde tu último cuadrangular. Cuanto mayor sea el número, más cerca estarás de tu próximo golpe.

Estudiar este registro de fracasos me sirvió de inspiración:

Un joven se postuló para la legislatura de Illinois y tuvo una derrota apabullante.

Luego entró al mundo de los negocios, pero fracasó, y pasó diecisiete años de su vida pagando las deudas de un mal socio.

Se enamoró de una hermosa joven con quién se comprometió, pero ella luego murió.

Volvió a la política, se postuló para el Congreso y, de nuevo, sufrió una gran derrota.

Luego intentó ser nombrado para la Oficina de Tierras de los Estados Unidos, pero fracasó.

Se postuló como candidato para el Senado de los Estados Unidos y fue gravemente derrotado.

Dos años después fue derrotado por Douglas.

Un fracaso tras otro, grandes derrotas, fuertes adversidades, pero ante todo esto, él siguió intentándolo y llegó a ser uno de los hombres más grandes de toda la historia.

Es probable que lo hayas oído nombrar. Su nombre es Abraham Lincoln.

Recientemente conocí a un exvendedor que ahora es empleado en una pequeña planta de producción. Me dijo que el miedo al fracaso lo había hecho fracasar como vendedor. "Cuando salía para tratar de contactar a un referido proporcionado por mi empresa, en realidad me alegraba cuando ese cliente potencial no se encontraba. En caso de que sí estuviera, me daba mucho miedo de no lograr una orden, me ponía nervioso, demasiado ansioso, y actuaba poco natural. Así que mi esfuerzo por hacer la venta era terrible".

El miedo al fracaso es una debilidad común a la mayoría de hombres, mujeres y niños.

El otro día desayuné en el Hotel Monte alto, en compañía de Richard W. Campbell, de Altoona, Pennsylvania. Dick ha logrado un récord fenomenal en ventas de seguros de vida para la compañía de seguros de vida Fidelity Mutual. Él es un hombre que literalmente ha salido adelante por sus propios medios. Le pregunté si alguna vez le había preocupado el miedo al fracaso. Me sorprendió que dijera que el miedo casi lo hace renunciar a las ventas. Veamos lo que dijo Dick:

Nadie podría desanimarse ni desalentarse tanto en espíritu como yo: no podía pagar mis cuentas, no tenía dinero, siempre estaba en quiebra. Sin embargo, cuanto más difícil era la situación, a menos personas visitaba. Me avergonzaba tanto con mis informes, que empecé a llenarlos con visitas que nunca hice (mis propios archivos privados); sí, comencé a engañarme a mí mismo. ¡Nadie puede caer más bajo que eso! Un día, salí al campo, siguiendo una vía solitaria, y en un sitio me detuve y apagué el motor. Me quedé ahí sentado durante tres horas. "¿Por qué lo hiciste?", me preguntaba a mí mismo. Me sometí a una intensa autoconfrontación. "Campbell", me dije a mí mismo, "si ese es el tipo de persona que eres, si vas a ser deshonesto contigo mismo, también lo serás con las demás personas. Así estás condenado al fracaso... debes tomar una decisión y tú eres quien debe tomarla, y debe ser ahora. No habrá otro momento, tienes que hacerlo *¡ahora mismo!*".

Desde aquel día, Dick Campbell ha llevado registros completos y precisos definiendo su trabajo y plan de vida. Dick dijo: "en este mundo o nos disciplinamos nosotros mismos o el mundo nos disciplina a nosotros. Prefiero disciplinarme yo mismo". Dick Campbell cree que el haber adoptado este plan le permitió eliminar el miedo al fracaso. Él dijo: "cuando un vendedor deja el hábito de visitar a suficientes clientes potenciales, pierde su sentido de indiferencia".

Eso es lo que Babe Ruth tenía, un sentido de indiferencia. Brother Gilbert, quien descubrió a Babe Ruth, dijo: "él se veía mejor cuando lo ponchaban que cuando bateaba cuadrangulares".

El doctor Luis E. Bisch, uno de los principales psiquiatras del país, escribió: "Cultiva un poco el hábito de que no te importe, no te preocupes por lo que los demás puedan pensar. Esto te congraciará con los demás y te hará aún más agradable y querido".

Te ves mal cuando te esfuerzas mucho y te pones demasiado ansioso. Estás mal. Sí, sigue adelante, pero no tengas miedo de perder hoy. El presente no te quebrará ni te arreglará. No puedes batear trescientos todos los días. Al público le gusta un buen perdedor, todo el mundo desprecia a los desertores.

"Mi gran preocupación", dijo Lincoln, "no es si has fallado, sino si estás contento con tu fracaso".

Thomas Edison tuvo diez mil fracasos antes de inventar la bombilla incandescente. Edison había concluido, en su mente, que cada fracaso lo acercaba más al éxito.

Nadie recordará que te hayan poncharon en las primeras entradas si en la novena conectas un cuadrangular con las bases llenas.

Los fracasos no significan nada en absoluto si en algún momento llega el éxito. Y esto es algo que debería animarte y ayudarte a seguir intentándolo cuando todo parezca difícil.

¡Sigue adelante! Cada semana, cada mes, vas mejorando. Un día, no muy lejano, encontrarás cómo hacer aquello que hoy parece imposible.

Fue Shakespeare quien escribió: "Nuestras dudas son traidoras y nos hacen perder el bien que, a menudo, podríamos ganar, solo por el temor a intentarlo".

El valor no es la ausencia del temor, sino la conquista del mismo.

34

Los secretos del éxito de Benjamin Franklin y lo que hicieron por mí

Probablemente este capítulo debería estar en el comienzo del libro, pero lo reservé para el final, puesto que quizás es el más importante de todos. Es la pista sobre la que corrí.

Nací durante la ventisca de 1.888, en una pequeña casa adosada en la calle Nassau, Filadelfia. A ambos lados de nuestra calle había farolas aproximadamente cada cincuenta yardas. Recuerdo que, cuando era un niño, todas las noches, al escurecer, veía el farolero que pasaba por la calle llevando una antorcha rugiente. Se detenía al lado de cada farola, levantaba su antorcha hasta alcanzar la lámpara y la encendía. Solía verlo hasta que desaparecía de mi vista, dejando tras él una estela de luces para que la gente pudiera ver el camino.

Muchos años después, cuando me encontraba andando a tientas en la oscuridad tratando desesperadamente de aprender a vender, tomé un libro que tuvo un gran efecto en mi vida: la autobiografía de Benjamin Franklin. La vida de Franklin me recordó a ese farolero. Él también dejó tras de sí una estela de luces para que otros pudieran ver el camino.

255

Una de esas luces sobresalió como un gran faro, una idea descubierta por Franklin cuando él era apenas un pequeño impresor en Filadelfia y estaba muy endeudado. Él se consideraba a sí mismo como un hombre sencillo con capacidades normales, pero creía que podía adquirir los principios esenciales de una vida exitosa si tan solo encontraba el método correcto. Con una mente inventiva, ideó un método tan simple, pero tan práctico, que cualquiera puede utilizarlo.

Franklin eligió trece aspectos que, en su opinión, eran convenientes o debía adquirir y procurar dominar. De manera continua, a cada uno le daba atención estricta durante una semana. De esta manera, podía recorrer toda su lista en trece semanas y así repetía el proceso cuatro veces en un año. Puedes encontrar un duplicado exacto de los trece temas de Franklin al final de este capítulo, tal como aparecen en su autobiografía.

A la edad de setenta y nueve años, Benjamin Franklin escribió más sobre esta idea que cualquier otra cosa que le hubiera pasado en toda su vida, quince páginas en total, porque él consideraba que a esto se debía todo su éxito y felicidad Concluyó diciendo: "por lo tanto, espero que algunos de mis descendientes puedan seguir el ejemplo y cosechar los beneficios".

Cuando leí por primera vez estas palabras, ansiosamente pasé la página para leer la explicación que Franklin daba a su plan. Con los años, he leído docenas de veces esas páginas. ¡Era como un legado para mí!

Bueno, pensé, si un genio como Benjamin Franklin, uno de los hombres más sabios y prácticos que ha pasado por esta Tierra, creía que esto era lo más importante que alguna vez hizo, ¿por qué no intentarlo? Supongo que si hubiera ido a la universidad o incluso a la escuela secundaria, probablemente habría pensado que era demasiado listo como para algo así. Pero yo tenía un complejo de inferioridad porque en toda mi vida solo había ido a la escuela durante seis años. Luego, cuando descubrí que Franklin tenía solo dos años de escolaridad y ahora, 150 años después de su muerte, todas las grandes universidades del mundo abundaban en honores para con él, ¡pensé que sería tonto no intentarlo! Aun así, mantuve en secreto lo que estaba haciendo. Tenía miedo de que los demás se rieran de mí.

Seguí su plan exactamente como él dijo que lo había hecho, solo que lo tomé y lo apliqué a las ventas. De los trece temas de Franklin, elegí seis, luego cambié los otros siete por lo que consideraba más útil para mí en mi negocio, temas en los que era más débil.

La siguiente es mi lista y el orden en el que la he usado:

1. Entusiasmo
2. Orden: autoorganización
3. Pensar en términos de los intereses de otras personas
4. Preguntas
5. Punto clave
6. Hacer silencio: escuchar
7. Sinceridad: merecer confianza
8. Conocimiento de mi negocio
9. Aprecio y elogios
10. Sonreír: felicidad
11. Recordar nombres y rostros
12. Servicio y consecución de clientes
13. Cierre de ventas: acción

Hice una tarjeta de 3x5 pulgadas, como "recordatorio de bolsillo" para cada uno de mis temas, con un breve resumen de los principios, de forma similar a los "recordatorios de bolsillo" que has encontrado en este libro. La primera semana, llevé en mi bolsillo la tarjeta de Entusiasmo. En mis ratos libres, durante el día, leía esos principios. Durante esa semana, decidí duplicar la cantidad de entusiasmo que le había estado imprimiendo a mis ventas y a mi vida. La segunda semana, llevé mi tarjeta de Orden: autoorganización. Y así sucesivamente cada semana.

Después de terminar las primeras trece semanas, empecé de nuevo con mi primer tema, entusiasmo, y supe estaba ganando mayor control sobre mí mismo. Comencé a sentir un poder interior que nunca antes había sentido. Cada semana ganaba una mayor comprensión de mi tema. Esto llegó a lo profundo de mi ser. Mis negocios se hicieron más interesantes. ¡Todo se hizo emocionante!

Después de un año, había completado cuatro ciclos. De manera natural e inconsciente, me encontré haciendo cosas que no habría intentado hacer un año antes. Aunque quedé muy lejos de dominar cualquiera de estos principios, vi que este sencillo plan era una fórmula verdaderamente mágica. Sin él, creo que no hubiera podido conservar mi entusiasmo... y creo que si alguien puede mantener su entusiasmo durante el tiempo suficiente, ¡esto lo llevará a lograr cualquier cosa!

Es algo asombroso para mí: rara vez conozco a alguien que nunca haya oído hablar del plan de trece semanas de Franklin, ¡pero nunca he conocido a nadie que me haya dicho que lo ha intentado! Sin embargo, casi al final de su larga y asombrosa vida, Benjamin Franklin escribió lo siguiente: "Por lo tanto, espero que algunos de mis descendientes puedan seguir el ejemplo y cosechar los beneficios".

No conozco otra cosa que un gerente de ventas pueda hacer por sus vendedores para para asegurar su éxito que hacer que ellos, de forma absolutamente obligatoria, sigan este plan.

Recuerda, Franklin era un científico. Este es un plan científico. Recházalo y rechazarás una de las ideas más prácticas que alguna vez te hayan ofrecido. Lo conozco. Sé lo que hizo por mí. Sé que puede hacer lo mismo por cualquier persona que quiera probarlo. No es un camino fácil. No un camino fácil, pero es un camino seguro.

Los trece temas de Franklin

(Tal como él los escribió y en el orden en que los utilizó)

1. *Templanza:* no comas hasta la saciedad; no bebas hasta la exaltación.

2. *Silencio:* habla solo lo que puede beneficiar a los demás o a ti mismo; evita las conversaciones triviales.

3. *Orden:* que cada cosa ocupe su lugar; que cada parte de tu negocio tenga su momento.

4. *Determinación:* resuelve hacer lo que debes hacer; actúa sin dejar de hacer lo que te has determinado.

5. *Frugalidad:* gasta solo para beneficiar a otros o a ti mismo; es decir, no derroches nada.

6. *Emprendimiento:* no pierdas el tiempo; ocúpate siempre en hacer algo útil; elimina todas las actividades innecesarias.

7. *Sinceridad:* no uses engaños perjudiciales; piensa con inocencia y justicia; y, si hablas, habla como se debe.

8. *Justicia:* no le causes perjuicio a nadie al hacerle daño o al omitir los beneficios de tu deber.

9. *Moderación:* evita los extremos; abstente del resentimiento de las heridas tanto como si las consideraras merecidas.

10. *Limpieza:* no toleres la suciedad en el cuerpo, la ropa o tu habitación.

11. *Tranquilidad:* no te perturbes por las insignificancias ni por accidentes comunes o inevitables.

12. *Castidad:* no busques el placer sexual sino es por salud o por reproducción, nunca por estupidez, debilidad o para afectar tu propia paz o la paz y la reputación de otro.

13. *Humildad:* **imita a Jesús y a Sócrates.**

35

Tengamos una conversación franca

Si yo fuera tu hermano, te diría lo siguiente: ¡no tienes mucho tiempo!

No sé qué edad tengas, pero supongamos, por ejemplo, que estás alrededor de los treinta y cinco años de edad. Es más tarde de lo que crees. En poco tiempo, ya tendrás cuarenta. Y una vez pasas los cuarenta años, el tiempo pasa demasiado rápido. Lo sé. Ahora, al momento de escribir esto, tengo sesenta y un años de edad. Yo apenas puedo creerlo. Mi cabeza da vueltas cuando pienso en cuán rápido ha pasado el tiempo desde que cumplí cuarenta años.

Ahora que has leído este libro, creo que sé cómo te debes sentir. Exactamente igual que como me sentiría yo si estuviera leyéndolo por primera vez. Has leído mucho y ahora quizás te sientas confundido. No sabes qué hacer al respecto.

Bueno, tienes tres opciones:

Primero, puedes no hacer nada. Si no haces nada al respecto, el haber leído este libro quizás haya sido toda una pérdida de tiempo.

Segundo, puedes decir: "bueno, aquí hay muchas buenas ideas. Les daré todo lo que tengo. Haré lo mejor que pueda en cuanto a ellas".

Si lo haces, te profetizo fracaso.

Tercero, puedes seguir el consejo de una de las mentes más grandes que este continente jamás haya producido, Benjamin Franklin. Sé exactamente lo que él diría si hoy pudieras sentarte a su lado y pedirle consejo. Él te diría que tomes un solo punto a la vez y, durante una semana, de manera enfática, le prestes atención a aquel punto, dejando de lado todos los demás.

No importa si eres un impresor, un comerciante, un banquero o un vendedor de caramelos. Supongamos que eliges los trece temas que mejor se adaptan a ti. Si te concentras en solo una cosa a la vez, lograrás más en una semana que si lo hicieras de otra forma en un año. Una nueva confianza se apoderará de ti. Sé que después de trece semanas tu progreso te sorprenderá. Si tus amigos, compañeros de trabajo y familiares no expresan que han notado un gran cambio en ti, entonces sé que, para cuando repitas por segunda vez las trece semanas, todos verán en ti una persona muy diferente.

Terminaré este libro así como comencé.

Cuando Dale Carnegie me invitó a ir con él en una gira de conferencias, la idea me pareció fantástica; sin embargo, cuando estuve frente a aquellos jóvenes de esa gran organización, la Cámara júnior de comercio, me inspiraron tanto que en poco tiempo me vi haciendo lo que pensaba que era imposible: dando tres charlas por noche, cinco noches consecutivas, a la misma audiencia, recorriendo treinta ciudades de costa a costa.

Escribir un libro me parecía aún más fantástico, pero comencé. He tratado de escribir tal como hablaba, teniendo todo el tiempo en mi mente el recuerdo de esos maravillosos rostros, animándome a seguir.

Aquí está.

Espero que te agrade.

**Cómo pasé de ser un fracaso en las
ventas a ser un vendedor estelar**

de Frank Bettger

Esta obra se terminó de imprimir en
marzo de 2014 en Cargraphics, S.A. de C.V.
Calle Aztecas No. 23, Col. Santa Cruz Acatlan

Naucalpan, Edo. de México C.P. 53250